VOCÊ CONHECE AQUELA?

Dados Internacionais de Catalogação na Publicação (CIP)
(Câmara Brasileira do Livro, SP, Brasil)

Fonseca, Dagoberto José
Você conhece aquela? : a piada, o riso e o racismo à brasileira / Dagoberto José Fonseca. – São Paulo : Selo Negro, 2012.

ISBN 978-85-87478-71-9

1. Autoestima 2. Discriminação racial 3. Negros - Brasil - Condições sociais 4. Piada e preconceito 5. Preconceitos 6. Racismo - Brasil 7. Relações raciais I. Título.

12-11489 CDD-305.896081

Índice para catálogo sistemático:

1. Brasil : Negros : Relações raciais : Sociologia 305.896081

DAGOBERTO JOSÉ FONSECA

VOCÊ CONHECE AQUELA?

A PIADA, O RISO E O RACISMO À BRASILEIRA

VOCÊ CONHECE AQUELA?
A piada, o riso e o racismo à brasileira

Editora executiva: **Soraia Bini Cury**
Editora assistente: **Salete Del Guerra**
Capa: **Alberto Mateus**
Projeto gráfico e diagramação: **Crayon Editorial**
Impressão: **Sumago Gráfica Editorial**

Selo Negro
Departamento editorial
Rua Itapicuru, 613 – 7º andar
05006-000 – São Paulo – SP
Fone: (11) 3872-3322
Fax: (11) 3872-7476
http://www.selonegro.com.br
e-mail: selonegro@selonegro.com.br

Atendimento ao consumidor
Summus Editorial
Fone: (11) 3865-9890

Vendas por atacado
Fone: (11) 3873-8638
Fax: (11) 3873-7085
e-mail: vendas@summus.com.br

Impresso no Brasil

É possível rir de si mesmo ou ouvir o riso do outro sobre nós com certa tranquilidade, à medida da ocasião, do Kairós, do tempo certo, que engendra a superação e transforma o riso ridicularizante em história, em momento passado. Essa foi a minha – a nossa – lição neste livro.

Dedico esta obra à memória de meus antepassados e de minha avó Tereza de Jesus Fonseca, minha tia Isminia, meus tios Cássio, Luizito, Alcino, meus primos Edison, Batata, Zizão, Samé, Luisinho, meus amigos Eduardo Cardoso, Renê Pedro, padre Batista, padre Toninho, Mauro Baptista, Edir, Adonias, Ailton Braga, Márcio Damásio, Joana, Luís Bahiano, Heitor Frisotti, Hamilton Cardoso, Arnaldo Xavier, Milton Santos, Clóvis Moura, Sarita (Sara Rute) e tantos outros que atravessaram de volta o Grande Rio.

Sumário

Prólogo

UM POUCO DE HISTÓRIA

Era 1985, estávamos bem em frente ao restaurante da Pontifícia Universidade Católica de São Paulo, descontraidamente jogando conversa fora. Eu e o Cardoso, afro-brasileiros. A Meire, luso-brasileira. O Maércio, de ascendência polaca. Fazíamos o segundo ano do curso de Ciências Sociais.

Naquele clima alegre, falávamos a respeito do nascimento do Renan Augusto, o primogênito do Cardoso. De repente, Maércio resolveu contar-nos uma piada que, segundo ele, retrataria o nascimento do pequeno. Ficamos atentos, prontos para o riso largo. Então veio o choque.

"O médico, o Cardoso e, lógico, sua esposa estavam na sala de parto. O Cardoso estava nervoso, feliz e ansioso, suava frio no mesmo ritmo que sua mulher, quando começou a surgir o pequeno corpo do bebê. Logo depois, o médico deu um tapa na bundinha dele, depois outro e mais outro, aumentando a força dos tapas. Então o Cardoso, desesperado, gritou com o médico:

— Não está vendo que o meu filho está vivo? Ele está chorando, doutor!

O médico virou para o Cardoso e respondeu:

— Eu sei que ele está vivo, mas fala pra ele largar o meu relógio!"

Quando o Maércio terminou, a Meire esboçou apenas um riso amarelíssimo. O Cardoso ficou estático, perplexo com a piada. Eu também não tive reação alguma. *A ficha não caiu imediatamente*. Passaram-se alguns minutos e constatei: ela era racista.

E o Maércio? Ele nos olhava com um *riso largo* sem entender por que não ríamos com ele. Desejava cúmplices, porém saímos cada um para um lado. Ele ficou parado sem entender a evasão para a porta do restaurante.

No meu silêncio e angústia, perguntava-me: por que o Maércio contou aquela piada? Seria ele racista, mesmo tendo o Cardoso como melhor amigo? Por que não reagi como deveria? Como ficaria diante de novas piadas, eu que as adorava? Tais perguntas perseguiam-me, eu exigia uma resposta – para mim e para os vários Maércios que nos rondam a todo momento. Com base nessas inquietações, fiz a pesquisa cujos resultados ora apresento.

COMBATE AO RACISMO OU SUA PERPETUAÇÃO?

O projeto e a pesquisa que originaram esta obra foram um imenso desafio para mim, pois eu estava diante de algo novo, sem parâmetro nas ciências sociais brasileiras e com mínimo material teórico e metodológico nas mãos que tratasse da piada e do riso nas relações etnorraciais.

A recepção do trabalho contou com sustos e opiniões divergentes. Alguns acadêmicos reagiram com uma ponta de ironia. Entendiam que ele retrataria uma obviedade ou a minha irreverência. Outros acreditaram que o estudo provocaria um processo conscientizador antirracista, denunciando o *racismo à brasileira* que aparece nas ridicularizações fomentadas pelas piadas.

No caso de membros de entidades do movimento negro, a recepção também variou. Algumas lideranças consideraram este um bom trabalho, pois o viam como mais um instrumento de investigação e análise da marginalização/discriminação do afro-brasileiro. Outras lideranças, porém, tinham suas preocupações; receavam que a pesquisa ressuscitasse velhas anedotas e contribuísse para a criação de novas piadas contra o negro.

Minha expectativa com a pesquisa, bem como com este produto final (o livro), é a de aprofundar e ampliar o debate e a reflexão sobre o *racismo à brasileira* e, a partir daí, propiciar uma prática coerente e responsável que o desvele e o desmonte – sem, contudo, retirar a piada de nosso convívio, pois não estou com isto proferindo qualquer apologia ao discurso "politicamente correto".

Tenho plena ciência de que esta obra não esgota a discussão a respeito da piada nas relações etnorraciais brasileiras. Ao contrário, abre a porta para outras interpretações e análises sociais que não foram contempladas aqui, com um possível aprofundamento no campo da psicologia ou, ainda, da semiótica. Além, é claro, da possibilidade de estudos similares referentes aos homossexuais, às mulheres, aos portugueses, aos nordestinos, aos religiosos, aos japoneses etc.

UM RESUMO

Resultado de minha dissertação de mestrado na Pontifícia Universidade Católica de São Paulo[1], este livro está dividido em quatro capítulos. O primeiro deles demonstra que o ato de rir é uma expressão universal situada no tempo e no espaço dos diversos grupos humanos. Segundo Peixoto (*apud* Gil, 1991, p. 12),

> o riso e o choro são entendidos como expressões que não se relacionam com um sentimento específico. Há várias formas de riso porque há várias espécies de sentimentos expressos por ele. Há um riso "nervoso" quase convulsivo. Os neuróticos podem rir assim. Temos o riso intelectual, cerebral, complicado. Temos ainda o "riso triste", o "riso amarelo", o "riso amargo", às vezes mau, ordinariamente sem agressão, impessoal, desprendido das condições de simpatia ou antipatia humana. Temos também o riso da superioridade de espírito, gênero de que há pelo menos dois tipos clássicos definidos: a ironia e o humor. [...]

1. O título original da dissertação é *Piada: discurso sutil da exclusão – Um estudo do risível no "racismo à brasileira"*.

A fim de teorizar as questões pertinentes ao ato de rir na sociedade brasileira, no primeiro capítulo retornei aos períodos medieval, renascentista e iluminista vividos pela sociedade ocidental europeia visando compreender a forma e a disposição que esse ato adquiriu na Europa. Além disso, busquei na cultura e cosmovisão nagô entender o riso entre os africanos e os afro-brasileiros. Mesmo estando ciente de que essa cultura não abrange toda a África nem informa culturalmente todos os afro-brasileiros, considero valiosíssima sua contribuição cultural, política e psíquica para nossa sociedade.

No segundo capítulo, desenvolvi a tese de que a piada é um discurso informal que fomenta preconceitos, estereótipos e discriminações etnorraciais, mas também denuncia a existência dessas distorções sociais. A piada, cujo intuito é provocar o riso e dissimular conflitos, explicita com jeitinho a fragilidade da democracia etnorracial e social brasileira e, ainda, torna transparente a tentativa padronizadora perpetrada pelo branqueamento.

Já no terceiro capítulo, analisei as piadas de uma perspectiva histórico-antropológica, utilizando a contribuição de outras ciências e/ou informações que julguei significativas. Além disso, procurei trazer duas pessoas fictícias, virtuais, para dialogarem de maneira simples mas objetiva entre uma piada e outra.

O último capítulo não teve a pretensão de ser conclusivo, mas de abrir caminho para uma discussão mais profunda e ampla sobre as relações etnorraciais no Brasil. Assim, procurei analisar mais detidamente as questões que apareceram ao longo do texto. Dessa maneira, debrucei-me sobre o conjunto cor/corpo negro, posto que a maioria das piadas fazia referência direta ou indireta a ele.

METODOLOGIA

A pesquisa que originou este livro visou analisar as mensagens transmitidas pelas piadas que difundem, consolidam e denunciam a existência do preconceito, da discriminação, da marginalização e dos estereótipos contra os afro-brasileiros em nossa sociedade. Além disso, procurei verificar *se* e *como* os afro-brasileiros reagem a tais piadas, produzem e reproduzem mensagens preconceituosas dirigidas a eles ou contra os brancos/os embranquecidos.[2]

Ao longo destas páginas busquei construir um diálogo entre antropologia e história, pois considero que as piadas são produções socioculturais que expressam estereótipos, preconceitos etnorraciais e sociais que surgem e ganham força em contextos específicos – geográfica e historicamente falando.

Abordei as piadas não com a intenção de dissecar seus códigos e signos, mas de interpretá-las sem provocar seu desencantamento. Essa metodologia permitiu investigar as relações entre brancos e negros na sociedade brasileira em seus microespaços, propiciando a descoberta de novas e antigas manifestações sociais.

As piadas surgem e ganham vida num universo engendrado pela produção cultural e pela história local, fazendo parte de um intercâmbio entre a língua, o poder, a força da palavra e suas representações, seus significados e as relações sociais vivenciadas, tanto material como simbolicamente, por negros e brancos na sociedade brasileira. O discurso da piada e seu riso transformam-se num desvendar da realidade.

Com esse objetivo coletei, cataloguei e selecionei as piadas que considerei mais significativas, ou seja, aquelas que tinham "coerência con(textual)" que propiciasse uma interpretação histórico-antropológica. Assim, construí um quadro amostral

2. A conotação que damos aos termos "brancos"/"embranquecidos" está relacionada a duas dimensões propostas ao longo desta obra. A primeira baseia-se na concepção de que ambos são invenções, construções socioculturais e histórico-econômicas que foram criadas na sociedade brasileira desde o período colonial-escravista para designar e estabelecer diferenças e distâncias entre o nacional, o reinol e o africano ou indígena submetidos à escravidão e às expropriações física, intelectual e territorial. A segunda é aquela propugnada, entre outros, por Luís Gama em seu poema "A bodarrada", que considera que brancos e embranquecidos no Brasil são aqueles que, muito embora sejam reconhecidos como afro-brasileiros, buscam fugir da cor e de todas as referências fenotípicas e culturais que os denunciam como alguém de ascendência africana.

qualitativo para a interpretação. Nesse processo, adotei os seguintes procedimentos:

- *Lugar da pesquisa*: o polo catalisador das piadas foi São Paulo. O fato de eu morar nessa cidade não impediu a coleta de dados sobre diversos estados do país. Porém, o trabalho se restringiu à região Sudeste, principalmente aos estados de São Paulo e Rio de Janeiro.
- *Fonte de dados*: a coleta foi realizada em livros, revistas, circulares reprografadas e em mensagens de e-mail[3], bem como com membros do movimento negro e pesquisadores das relações etnorraciais no Brasil. Pesquisei também piadas em meio à população, nas ruas e bares, com vizinhos e amigos, a fim de levantar um material significativo e tão caro à sociedade brasileira.
- *Interpretação das piadas*: além de me basear na história, na antropologia, na economia, na saúde, no direito, na sociolinguística, na filosofia e na sociologia, lancei mão da psicologia social a fim de refletir sobre a autoestima e o autoconhecimento do afro-brasileiro e do branco.

A base histórico-antropológica e a contribuição da psicologia social, por exemplo, não refletem o mero encaixe de disciplinas que dialogam de forma despreocupada e sem propósitos, mas a tentativa de fazer a leitura das múltiplas facetas da realidade oferecidas pelo discurso da piada.

Este estudo transformou-se num grande e, por vezes, assustador desafio teórico-metodológico ao buscar a relação dialógica entre as ciências da sociedade, configurando-se a cada dia não

3. Vale salientar que as circulares percorrem todo o país, não tendo uma autoria explícita, o que não quer dizer que sejam uma manifestação anônima. O anonimato não as torna menos virulentas ou menos poderosas, mas reafirma a existência e a força do racismo à brasileira, pois provoca o prazer e, ainda, denuncia a violência e as distorções sociais no país.

num "objeto", mas num novo "sujeito" que dialogava com seus vários "idiomas" por meio das piadas.

Saliento que não tive a preocupação de fazer quaisquer distinções de gênero neste livro. Assim, quando aparecerem termos como "afro-brasileiro", "afrodescendentes", "branco", "negro" e outros, não significa que estou calcado na figura masculina, mas pautado num modo de escrever, ou seja, num recurso literário.

Finalmente, o que me conforta é a consciência de que posso ser impreciso, indeterminado. Mas busco, aqui, contribuir para a ampliação e o aprofundamento do estudo sobre as relações etnorraciais entre os brasileiros.

1
O riso: construção sociocultural

O riso nasce assim como uma espuma. Ele assinala, no exterior da vida social, as revoltas da superfície. Ele desenha instantaneamente a forma movente desses abalos. É também uma espuma salgada. Como a espuma salgada, ele crepita. É a alegria. O filósofo que a toma nas mãos para lhe sentir o gosto há de encontrar por vezes, numa pitada de matéria, certa dose de amargor.

Henri Bergson

Neste capítulo, desenvolverei uma reflexão sobre o riso como expressão decorrente de práticas e discursos socioculturais de diversos grupos humanos, em diferentes épocas e sociedades.

Aqui se verá que o riso euro-ocidental, proveniente da piada, é fruto de elaborações desenvolvidas no seio da sociedade com o fim de dar visibilidade à discriminação, mas descontraindo o ambiente. Na sociedade brasileira verifiquei também a presença do "riso negro", festivo e popular, decorrente de uma visão de mundo ancestral que agradece à vida.

O RISO DA ORDEM E DA DESORDEM

O riso manifesto na Idade Média esteve fora da esfera oficial. A Igreja medieval e o Estado feudal buscaram extinguir as manifestações risíveis de seu interior, pois o riso era a expressão tradicional do povo. Assim, a cultura oficial da Idade Média estava vinculada aos tons sério e religioso, muito embora se verificasse nas festas oficiais e religiosas a presença de aspectos cômicos e profanos, pois havia a incorporação dos bufões e bobos da corte no intuito de alegrar o público presente tanto nos palácios como nas praças.

Mikhail Bakhtin (1987) constatou que o "riso ritual" expresso nas festas medievais era remanescente de sociedades antigas que não conheciam ainda as divisões de classe social, nem o Estado e suas mais variadas instituições. Porém, o "riso ritual" foi sistematicamente rejeitado pelas esferas oficiais, que consideravam as manifestações risíveis uma negação da seriedade, pois invocavam a instabilidade do espírito humano e, por conseguinte, da sociedade. O riso fomentava certo temor no clero e no Estado, pois carregava uma enorme força de saber popular, portando na sua essência e aparência a negação do absoluto e do imutável. Ele era considerado pela Igreja e pelo Estado uma arma extremamente perigosa que fazia parte da cultura e do etos popular.

Para Bakhtin (1987), a festa do povo tinha como característica a conversão a uma segunda vida que penetrava no reino utópico da universalidade e, principalmente, da liberdade, da igualdade e da abundância. O povo buscava, na festa, fugir das amarras sociais, encontrando no espaço supostamente alienado da alegria e da irreverência a possibilidade de viver longe das estruturas e das sólidas hierarquias medievais.

As festas promovidas pela Igreja e pelo Estado não portavam aspectos risíveis e irreverentes, mas a intenção de consolidar a ordem social existente, visando consagrar um universo estático e perene, com valores sociais e morais rígidos. Essas festas tinham o caráter de realçar uma verdade imutável; "o seu tom, portanto, só podia ser o da seriedade sem falha, e o princípio cômico lhe era estranho. Assim, a festa oficial traía a verdadeira natureza da festa humana e desfigurava-a" (Bakhtin, 1987, p. 8).

As festas oficiais visavam consolidar a hierarquia. Elas tinham o intuito de enfatizar as diferenças individuais e as desigualdades sociais entre todos. Assim, davam as costas ao futuro e contemplavam o passado.

Na época medieval, o semblante sério afirmou-se como a única demonstração da firmeza de espírito, da verdade, do bem, da veneração, da docilidade e da redenção. O riso era concebido como expressão oriunda do povo, sendo portanto associado à irresponsabilidade, à inconsequência e à "baixeza de caráter", bem como à liberdade e à irreverência diante do poder vigente.

Em *O nome da rosa*, Umberto Eco (1983) demonstra com perspicácia o diálogo entre dois monges que representam essas duas concepções. O beneditino corporifica o discurso da seriedade, ao passo que o franciscano questiona esse discurso por não conceber a seriedade como a única postura portadora da verdade que reside no espírito humano.

Essa trama de Eco baseia-se em um suposto livro escrito por Aristóteles dedicado à comédia[4]. Nele, o filósofo grego constata que a comédia traz uma profunda disposição ao riso, sendo concebida como força positiva, pois é constituidora de conhecimento e de saber humano. A menção à comédia na obra de Aristóteles encontra-se no Capítulo V da *Poética* (1979, p. 245):

> a comédia é, como dissemos, imitação de homens inferiores; não todavia, quanto a toda espécie de vícios, mas só quanto àquela parte do torpe que é o ridículo. O ridículo é apenas certo defeito, torpeza anódina e inocente; que bem o demonstra, por exemplo, a máscara cômica, que sendo feia e disforme, não tem dor.

O pensamento grego de Aristóteles influenciou também o cristianismo. Assim, desde os primórdios dessa religião encontramos a condenação às expressões risíveis. São João Crisóstomo, por exemplo, declarava que o riso e as burlas não provinham de Deus, sendo emanação do diabo. O cristão, portanto, deveria manter-se sério e contemplativo diante das coisas de Deus.

4. Ressalvo que este livro não foi escrito por Aristóteles, mas criado ficcionalmente por Umberto Eco a fim de dar sentido à sua obra literária.

Nesse sentido, Bakhtin (1987) considerava que, ao rir, o homem medieval expressava a vitória sobre o medo que o oprimia cotidianamente, fosse do poder divino, fosse aquele proveniente de homens poderosos. Seu riso tornava-o consciente de que poderia vencer a morte, o obscurantismo, o absoluto. O riso revelava-lhe um novo mundo.

Nas festas, o povo carnavalizava o passado e olhava para o futuro, que precisava ser transformado. Tal pensamento e tal conduta ganharam adeptos e tornaram-se hegemônicos entre escritores, poetas, cientistas e cantadores do período medieval. Essa concepção dinâmica do mundo e da vida propunha a negação das verdades preconcebidas, universais, unilaterais e fixas, fundamentando assim o movimento renascentista em toda a Europa Ocidental.

QUEM RI POR ÚLTIMO RI MELHOR?

O Renascimento representou uma verdadeira renovação cultural na Europa Ocidental. Nele, o riso foi valorizado, transformando-se numa das formas capitais para expressar a verdade sobre o mundo e sobre o homem. O "riso renascentista" era portador de criticidade, de particularidade, carregando a percepção da universalidade do mundo.

O povo na Renascença deixou o riso emergir com toda força nas suas manifestações culturais, retomando diversas expressões e tradições da Antiguidade, como as saturnais romanas.

As manifestações risíveis do povo, segundo Bakhtin, fomentaram uma nova consciência e uma ideia de verdade diferente (e inversa à) da oficial, ideia essa que no apogeu da Renascença encontrou sua autoafirmação.

O riso dessa época triunfou sobre o medo e a morte, revelando-se aos poucos um profundo crítico da existência humana, orientando para uma vida mais tranquila, menos fixa e contemplativa, opondo-se à mentira, à adulação e à hipocrisia instaurada pelos estamentos dominantes.

O riso renascentista degradou o poder e transformou de fato o bufão e o bobo da corte nos autênticos porta-vozes da ordem vigente. Ele não destituiu Deus nem os reis do poder, mas deu a eles o seu verdadeiro caráter: o humano.

Desse modo, o riso renascentista tinha um significado positivo, regenerador, criador, liberador das pressões sociais. Porém, as transformações estruturais e conjunturais que ocorreram com a revolução burguesa na Europa propiciaram uma nova forma de pensar, ver, perceber e exercitar as relações sociais – o que modificou também as manifestações risíveis do povo. Elas foram consideradas visões que não tinham o *status* de verdade universal e mítica do mundo, mas de expressões que retratavam fenômenos parciais e típicos da vida social.

Vários foram os iluministas que fizeram reflexões acerca do riso. Hobbes considerava-o uma eclosão súbita de nosso sentimento de superioridade diante do defeito que notamos em alguém ou superamos em nós mesmos. Descartes, com base numa compreensão fisiológica, acreditava que o riso dizia respeito à zombaria e ao escárnio, sendo uma espécie de alegria misturada com o ódio, pois verificava que ele manifestava algum tipo de mal contra outra pessoa.

À medida que os valores culturais da burguesia tornaram-se hegemônicos na sociedade europeia, o riso do povo foi novamente recriado, posto que foi expropriado de sua maneira de se expressar cultural e espacialmente. Essas mudanças de concepção das manifestações risíveis alteraram o porquê e quando se ri, de quem se ri e, também, a função do riso.

Nesse processo de alterações no ato de rir, a sátira foi eleita como expressão portadora de aspectos superiores, e seu riso veículo de valores significativos para os interesses dos grupos sociais dominantes. Assim, o riso oriundo das sátiras, das comédias e das piadas foi considerado uma expressão que necessitava do exercício de operações mentais para ser entendido, sendo interpretado como algo que não pertencia ao povo. Já o riso do povo era tido como inferior, destituído de caráter social, manifestando o papel bufo e natural das suas expressões.

O riso decorrente da sátira ou da piada foi utilizado como uma espécie de castigo útil que a sociedade usava para repreender e moldar os seres supostamente inferiores e corrompidos, ou melhor, aqueles que não se adequavam aos valores hegemônicos.

Com a emergência do capitalismo industrial, o riso renascentista sofreu transformações profundas, passando a ser utilizado como fator de dominação, de dissimulação e de denúncia social. Nessa nova conjuntura, as manifestações risíveis adquiriram caráter de ridicularização ideológica ao atribuir aspectos e valores negativos às atividades humanas e ao próprio homem, situando-o em sua particularidade.

O ato de rir liga-se então aos signos, aos códigos, às representações e aos significados construídos pela classe e pelos grupos sociais dominantes. Tal teoria do riso e do ridicularizável é constatada por Henri Bergson. Segundo esse autor (1983), há três condições prévias para que o riso se dê. Primeiro, este deve expressar aspectos, expressões e atitudes humanas. Segundo, deve estar isolado da emotividade, da solidariedade ou da identificação entre os agentes sociais, necessitando de certo grau de insensibilidade e de indiferença. Terceiro, o riso necessita de grupos e classes sociais que com ele se identifiquem. Em suma, o riso é certo gesto social que precisa de eco, do encontro e do desencontro dos diversos agentes sociais.

Vladimir Propp (1992) salienta que o riso é fomentado somente no reino animal; rimos dos animais que lembram certos homens e seus movimentos grotescos e triviais. Os animais mais suscetíveis às manifestações risíveis são o macaco e o papagaio, por suas atitudes e movimentos que se assemelham aos dos humanos. O risível e o ridicularizável nos objetos e nos animais só são possíveis, portanto, se expressarem algum aspecto ou ação que lembre ou reflita o espírito humano.

A expressão mais corriqueira do risível encontra-se no que é externo, visível, numa pessoa, ou seja, seu aspecto físico (corpóreo). O corpo humano expressa o riso quando aparenta algo ridicularizável. Porém, nem todos que têm um corpo disforme, estando fora do padrão esteticamente estabelecido pela sociedade, são passíveis de riso. Propp lembra que há homens cujo poder interior e força espiritual suplantam essa comicidade, impondo respeito a todos.

O riso que intenta a ridicularização de alguém se intensifica, sobretudo, naqueles que não conhecemos suficientemente e têm um corpo em desacordo com o modelo estético em voga. Nesse sentido, é basilar o pensamento de Brandes (*apud* Propp, 1992, p. 174): "Nenhuma perfeição jamais suscita o riso".

As manifestações risíveis e ridicularizáveis no contexto analisado por Bergson e Aristóteles baseiam-se na discriminação, na exclusão e nas seleções individuais ou coletivas. A sociedade discrimina alguns agentes sociais, principalmente aqueles que se isolam dela ou não se enquadram em sua estrutura ideológica. Não se trata de repressão física, mas psíquica – que não é menos violenta, muito embora procure ser mais suave e refinada. Bergson (1983, p. 100) afirma que "o riso tem por função intimidar humilhando. Não conseguiria isso se a natureza não houvesse deixado para esse efeito, nos melhores dentre os homens, um pequeno saldo de maldade, ou pelo menos de malícia".

Na concepção bergsoniana, o riso surge para corrigir individual e coletivamente os desviantes sociais. Assim, ele afirma: "O riso não pode ser bom [...] Ele não atingiria o seu objetivo se carregasse a marca da solidariedade e da bondade" (1983, p. 99).

O ato de rir do outro sugere que o sujeito do riso tem relativa superioridade sobre o ser/objeto risível. Ele enfatiza o distanciamento identitário existente entre o suposto sujeito e o virtual objeto do riso. Esse ato desvela uma relação de alteridade e de desigualdade entre os diversos agentes sociais.

Em resumo, o riso da piada e de outras expressões satíricas é considerado uma manifestação de verdadeiro trote social. Expressa a marginalização e a segregação de contingentes populacionais e até mesmo de indivíduos que estão fora do padrão hegemônico. Na sociedade brasileira, o riso, nessa perspectiva, transforma-se na mais refinada expressão do etnocentrismo, do racismo, do machismo e da xenofobia contra indivíduos e grupos sociais não ocidentalizados, não participantes do universo masculino e heterossexual, nem os marcadamente caracterizados pela fé católica.

O racismo e o conjunto de estereótipos dirigidos contra os afro-brasileiros nas piadas e em outras expressões risíveis visam ressaltar as diferenças existentes em nosso país, colocando negros e brancos num suposto antagonismo. No entanto, as piadas também mantêm ou denunciam a profunda desigualdade socioeconômica e as noções de diferenças estéticas e de beleza presentes no Brasil.

O riso proveniente da piada transforma-se na expressão privilegiada para as classes e os grupos sociais hegemônicos manifestarem, anunciarem ou denunciarem com jeitinho e sutileza a discriminação e a marginalização cotidianas sem, contudo, confrontar abertamente o discurso da democracia etnorracial e social. Assim, ao ser utilizados como expressões do preconceito, a piada e o riso não podem ser interpretados como algo inocente ou inconsciente, mas como disposição política e cultural.

BAKHTIN E EXU: O RISO DA VITÓRIA E DE TRANSGRESSÃO

Na sociedade brasileira, além das manifestações risíveis e de ridicularização que têm base na crítica e também na dissimulação e na consolidação de preconceitos, constata-se outra forma de riso transmitida pela influência da cultura e da visão de mundo oriunda da África.

O riso manifesto pelo contingente afro-brasileiro opõe-se ao verificado por Aristóteles e Bergson. O que se percebe é que o riso negro está devidamente incorporado à sua visão de mundo ancestral e cultural voltado à liberdade espírito-corporal.

Apesar da dura realidade, a vida cotidiana dos afro-brasileiros não se estabelece apenas sob o signo do sofrimento e da tristeza, mas também em largos momentos de "alegria espiritual", de sociabilidade, quando fazem suas catarses e seus movimentos de superação e descontração, afastando medos e temores.

O riso e o sorriso do afro-brasileiro nascem com a intenção de agradecer a Deus, aos orixás, aos ancestrais, aos antepassados e aos antigos. Manifestam sua alegria pela vida e pela esperança de dias melhores e felizes para si e para os outros, apesar de todas as dificuldades. Essa relação com a vida não é alienante, mas o alegre e descontraído encontro com o princípio da própria existência.

Como diz a música, interpretada por Dona Ivone Lara, "um abraço negro, um sorriso negro, traz felicidade". O riso – e até mesmo a gargalhada – dos afro-brasileiros é a expressão pura e simples de sua alegria de viver solto em seu movimento espírito-corporal, pois tem o básico: a vida.

Nesse sentido, não subscrevo a afirmação de Bernard Wolfe (*apud* Fanon, 1983, p. 43):

> Nós gostamos de representar o negro sorrindo, com todos os seus dentes à mostra. Este sorriso, como nós o vemos – como o criamos – significa sempre uma oferta [...] Os negros, escreve um antropologista, são mantidos na sua atitude obsequiosa através do medo e da força, e isso é do conhecimento tanto dos brancos quanto dos negros. No entanto, os brancos exigem que os negros se mostrem sorridentes, devotados, cheios de zelo e amigáveis em suas relações com eles [...].

Acredito que o ato de rir dos afrodescendentes não diminui, ao contrário, aumenta a força de lutar e de resistir a fim de transformar o universo em algo harmônico e alegre. Assim, se compreende quando o negro – na África ou fora dela em decorrência do tráfico escravista – mostra todos os dentes de noite ou de dia, sem medo do açoite que poderá vir da mão do algoz.

Maria Aparecida Teixeira (1992, p. 85) verifica que o riso manifesto pelo afro-brasileiro diante de uma expressão de racismo não confirma as expectativas dominantes nem demonstra sua "incapacidade de dar uma resposta adequada à violência da discriminação racial". Para ela,

> o riso do afro-brasileiro ganha uma dimensão muito diferente. Pode ser visto de vários modos: defesa e necessidade de distanciamento, por um lado, e, por outro, incredulidade diante da revelação da pequenez moral do discriminador. A risada aparece como uma forma de defesa, um esforço para distanciar-se da situação e ganhar tempo para elaborá-la; às vezes surge como uma forma de desarmar o outro. É uma resposta dúbia, que pode ser interpretada pelo branco tanto como passividade quanto como escárnio.

Freud (*apud* Gil, 1991, p. 52) já dizia, em *Os chistes e sua relação com o inconsciente,* que "o humor, como o são em outros níveis a neurose, a loucura, a embriaguez e o êxtase, é um meio de defesa contra a dor".

O "riso negro" está muito próximo daquele citado por Mikhail Bakhtin, isto é, do riso popular no período medieval-renascentista, pois fomenta certo indício de vitória da vida sobre a morte. Ao suscitar o surgimento de forças vitais, cósmicas e universais nos seres humanos, o riso negro engendra a alegria e a liberdade ancestral de viver.

O riso negro, seu humor, não se baseia na discriminação ou na humilhação promovidas pelo pensamento burguês e racional constatado tanto por Bergson como por Aristóteles. Nesse sentido, o conceito de "humor negro" é eminentemente ideológico, carregando uma visão racista e preconceituosa sobre a concepção de "negro", segundo o pensamento eurocêntrico e judaico-cristão. Vale ressaltar que, para Ziraldo A. Pinto (*apud* Gil, 1991, p. 80),

> o humor negro é a violência dentro do humor. Essa categoria de assunto compreende as piadas sobre todo tipo de deformidades e monstruosidades físicas e psicológicas, doenças e desgraças. O "humor negro" faz as pessoas rirem exatamente daquilo que a sociedade apresenta em tempos normais como objeto digno de piedade e de misericórdia. Enquanto manifestação criativa autêntica "o humor negro" reflete o momento de uma cultura, uma época negativa. As piadas, entretanto, não costumam elogiar as qualidades e virtudes individuais nem as instituições sociais. Sob esse aspecto, poderiam todas se encaixar na categoria do "humor negro".

Entretanto, salientamos que o universo cultural afro-brasileiro alicerçado pelos mitos e cultos dos orixás tem em Exu a entidade mais brincalhona do universo cósmico iorubá. Transladado para as senzalas, os quilombos e os terreiros do Brasil, Exu tem um grande e incontrolável senso de humor, sendo capaz de brincadeiras com os outros orixás e, principalmente, com os seres humanos. Ele abre as portas do mundo, traduzindo as linguagens e os pedidos destinados aos orixás, sendo considerado no universo iorubá o "senhor da comunicação".

Exu não distingue o bem do mal em suas brincadeiras; seu riso irreverente e debochado subverte o maniqueísmo euro-ocidental e judaico-cristão, demonstrando que a visão de mundo africana, sobrevivente na diáspora, se opõe à visão ocidental presente na sociedade brasileira.

Exu é concebido pelo Ocidente judaico-cristão como equivalente ao diabo, quando visa à contravenção das regras e das normas, propagando a confusão e a sexualidade. Destaca-se sua "paixão pelo gozo, sendo frequentemente representado em estatuetas como uma figura humana sorridente, debochada e com uma permanente ereção" (Lombardi, 1986, p. 18).

Dessa forma, Exu é símbolo da vida, não da morte; da alegria, do riso, não do lúgubre e do proibido. Em seu estudo sobre os orixás, Carlos Lombardi (*op. cit.*, p. 22) diz que "os filhos de

Exu possuem um grande senso de humor, uma capacidade rápida de adaptação diante das dificuldades, pois encaram a vida como um brinquedo".

Essa visão de mundo interpreta e aceita o ser humano com todas as suas diferenças, percebendo a diversidade como algo estimulante e enriquecedor. No diverso encontra-se o verdadeiro e único ser. O riso do afro-brasileiro, como o do povo no período medieval-renascentista, expressa a integração entre os mundos sagrado e profano, impresso com autenticidade, originalidade e vigor nos espaços e nos momentos privilegiados de sociabilidade do povo, ou seja, nas festas – principalmente a carnavalesca.

O riso carnavalesco é antes de tudo festivo e universal. Não se ri por obrigatoriedade, não existe o "riso amarelo", apenas e tão somente o riso sincero, livre e profundamente espiritualizado. Ele "é ambivalente, alegre e cheio de alvoroço, mas ao mesmo tempo burlador e sarcástico, nega e afirma, amortalha e ressuscita simultaneamente" (Bakhtin, 1987, p. 10).

O riso festivo carrega consigo uma sensível relação com o social e com o cosmo ao gerar a energia que impulsiona a vida dos homens em plena e tumultuada praça pública, onde os corpos encontram-se num envolvente frenesi, sem determinar tamanho, idade, sexo, condição social e densidade de melanina. O corpo apenas e tão somente ri de forma desenfreada. O homem sente-se membro do povo a cada momento.

Os risos festivo e carnavalesco do afro-brasileiro e dos segmentos populares englobam os sensos de sociabilidade, de aceitação e de cumplicidade, sendo uma manifestação de vitória sobre os aspectos negativos e nefastos que visam oprimir e limitar os homens.

A história do riso demonstra que ele acompanha as transformações socioculturais, expressando fins diferenciados. O riso decorrente da piada e de outros discursos satíricos e cômicos explora os preconceitos e lhes dá visibilidade, sendo uma expressão de classes e de grupos que lutam pela hegemonia.

As manifestações risíveis e a própria história do riso atestam que também o homem dos segmentos populares, bem como o negro na sociedade brasileira, impulsiona o processo sociocultural e a história em busca da verdade livre e alegre, sem autoritarismo, unilateralidade ou violência. Desse modo, o riso exterioriza as relações de dominação e resistência, de aceitação e denúncia social.

2
A piada: expressão do preconceito e da exclusão

A fala é divinamente exata, convém ser exato para com ela. A língua que falsifica a palavra vicia o sangue daquele que mente.
KOMO DIBI DE KULIKORO

Este capítulo visa analisar, por meio das piadas, o preconceito etnorracial na sociedade brasileira. A piada não exprime meras bobagens, destituídas de quaisquer preconceitos. Retrata um universo social profundamente antidemocrático, pois evoca uma falsa verdade que do alto do seu saber o preconceituoso vomita. Portanto, ela não é uma história inocente, inventada para ser apenas um passatempo lúdico que alimenta aparente e despreocupadamente um diálogo.

A piada, nesse contexto, deve ser interpretada como forma suave de estimular o preconceito etnorracial, bem como os relacionados aos homossexuais, aos idosos, aos deficientes físicos, à mulher, aos orientais etc. Ao provocar o riso, a piada dissimula e descontrai os possíveis conflitos e o mal-estar entre os emissores e os receptores da mensagem. No nosso caso, entre negros e brancos.

A produção e a reprodução das piadas fazem parte de uma estrutura e de uma conjuntura socioculturais específicas, definidas no tempo e no espaço. Há de se fazer uma leitura das piadas como mensagens e discursos que estão presentes nos diversos segmentos sociais. Assim, pode-se captar como elas manifestam relações de desigualdade.

As piadas devem ser interpretadas com base na leitura de seus códigos e por meio da contextualização histórica de suas mensagens, das origens e dos fins sociais que as fizeram emergir dos subterrâneos ou do vértice mais alto da pirâmide social.

Parte do imaginário coletivo, as piadas adquirem, muitas vezes, pelo senso comum e pelo apelo popular, o estatuto de verdade, perpetuando estereótipos e preconceitos. Arnold M. Rose (1972, p. 168) considera que

> a ignorância das massas torna mais fácil a propaganda a favor da exploração econômica e da dominação política. Um grupo ignorante ou enganado a respeito de outro grupo será mais acessível às sugestões interesseiras dos exploradores. Manipulando habilmente esta ignorância, a propaganda pode mesmo chegar a fazer passar por inimigas pessoas que não o são de maneira alguma.

Rose entende que o preconceito resulta da ignorância proveniente da ausência de conhecimentos e também da presença de ideias falsas. Para ele (*op. cit.*, p. 168-69),

> a ignorância em si não faz nascer o preconceito, mas condiciona ou favorece o seu desenvolvimento em graus diversos, conforme os grupos de que se trata. Quando a ignorância representa um papel importante no aparecimento dos preconceitos, estes poderão ser eficazmente combatidos pela informação, que virá completar os conhecimentos ou combater as ideias falsas. A informação não só ataca diretamente cada uma das causas de preconceitos, mas também priva de uma parte do seu efeito a propaganda em favor da exploração.

As piadas reforçam, por meio da ignorância, a visão estereotipada que muitos têm em relação a negros etc. Elas discriminam, marginalizam e, às vezes, criminalizam os descendentes de africanos – representando-os como vadios, malandros, ladrões, aproveitadores, e inferiorizando-os diante dos outros contingentes populacionais constituintes do país. Elas fomentam e até justificam a continuidade dos processos de discriminação e de exclusão dos negros.

Essas piadas não são apenas expressões produzidas, reproduzidas e absorvidas pelos brancos. Quando atingem os negros, geram a apatia e o ódio, pois elegem a brancura e o branco como portadores de beleza, de inteligência, enfim, de atributos superiores e superiorizantes. Mas também impulsionam o processo de denúncia, de resistência e os movimentos de superação dos preconceitos etnorraciais e do próprio racismo, tanto que a sabedoria negra e popular informa desde o período escravista que

Branco diz que preto furta.
Preto furta com razão:
Sinhô branco também furta,
Quando faz a escravidão.

Normalmente, quando a piada é contada tendo o negro como objeto risível e, portanto, ridicularizável, traz embutida em sua mensagem as ideias de humilhação e de correção de certos "defeitos" e "imperfeições" tidos como inerentes à sua natureza biológica "inferior" e ao seu legado cultural atrasado.

A piada, nesse contexto, não nega veementemente a ideologia das democracias etnorracial e social, preferindo insistir na dissimulação da realidade, buscando fingir sua inocência e seu compromisso social.

Assim, cabe a leitura do jeitinho brasileiro como artifício que afirma e nega essa democracia e dribla com perspicácia as leis antirracistas. Ao proferirem uma piada com conteúdo nitidamente preconceituoso, os indivíduos costumam, se interpelados, pedir perdão, desarmando as possíveis represálias.

No Brasil, dá-se um jeitinho para quase tudo, inclusive para lidar com os preconceitos velados, guardados a "sete chaves", revelados apenas em circunstâncias-limite. Na irreverência social encontra-se também uma de suas marcas; ri-se diante do supostamente ridículo e das situações constrangedoras e sérias.

Contudo, se o jeitinho e a irreverência têm uma face libertadora e lúdica, têm como reverso um universo carregado de autoritarismo que pune o diverso, o diferente, pelo fato de este não estar enquadrado no modelo hegemônico.

Um dos modos de exercitar a irreverência e o jeitinho brasileiro com suavidade e sutilidade, mas também com bastante violência e perversidade, é contar uma piada que desumaniza determinado indivíduo ou segmento étnico-sociorracial.

PIADA E PRECONCEITO

De início, cabem algumas perguntas: o que é piada? O que há de subliminar no seu discurso? A quem serve?

A piada nos faz rir pelo seu desfecho inesperado; assim, ao ser ouvida repetidas vezes, não suscita mais o riso, pois perdeu o elemento surpresa. Ela é uma versão de determinado acontecimento que se traduz no imaginário como uma história picante e fantasiosa, cuja intenção é transformar-se em riso. Em suma, ela conta uma versão que desfigura o sujeito-objeto central de sua mensagem.

Célia Gil (1991) entende a piada como um texto coerente, estruturado e temático, relacionado às informações que margeiam e contextualizam todo o processo de socialização dos receptores e dos emissores de sua mensagem. Trata-se de uma expressão caracteristicamente associada ao discurso verbal ou escrito, diferenciando-se da mímica, da caricatura e da charge. Nesse sentido, a piada é uma unidade linguística que se concretiza no uso que os indivíduos fazem dela em situações de interação e comunicação.

Octávio Ianni (1983) considera-a uma "fantasia popular" nada inocente, mesmo que aparentemente ela possa transmitir algo evasivo. A piada expressaria assim o reconhecimento da realidade social, tanto que pode negar ou afirmar (e protestar contra) certos aspectos da vida em sociedade.

As piadas ganham vida, efetivamente, num universo específico engendrado pela produção cultural e pela história local, fazendo parte de um intercâmbio entre a língua e o poder, a palavra, suas representações, seus significados e as relações sociais vivenciadas – tanto material como simbolicamente – por todos.

O discurso da piada é impulsionado pela ideologia hegemônica de determinada época, sendo uma concepção de mundo concreta. Ela só surte efeito quando encontra identificação e assimilação no tecido social. O riso decorrente da piada estabelece uma relação de empatia entre o emissor e o receptor do discurso. Esse riso

> pode caminhar no interior de um círculo tão amplo quanto se queira, mas, ainda assim, sempre fechado. O nosso riso é sempre o riso de um grupo. [...] deve corresponder a certas exigências da vida em comum. O riso deve ter uma significação social. (Bergson, 1983, p. 13)

Ao rir de determinadas piadas, os indivíduos demonstram estar aparentemente de acordo com suas mensagens. Essas atitudes revelam consciência e assimilação, aludindo a uma relação de identificação entre a mensagem expressa e a leitura de mundo que é feita pelo conjunto da sociedade.

Todavia, nem sempre as piadas conseguem provocar o riso. Isso acontece quando elas não refletem o contexto sociocultural e histórico em que foram produzidas ou quando seus receptores não se dispõem a compartilhar mensagens que difundem o preconceito explícito e/ou implícito.

A negação do receptor à piada pode engendrar, entre outros fatores, o ódio ou o mal-estar provocado pelo chiste. Mas vale salientar que ninguém fica indiferente a essas mensagens feitas para rir ou chorar.

As piadas que se referem às diferenças etnorraciais provocam o riso ideológico ou racista. Difundindo preconceitos contra brancos, negros, judeus etc., bem como fomentando e consolidando, de diversas maneiras, a discriminação e a marginalização, elas visam ridicularizar e transformar em objeto risível os protagonistas de suas mensagens.

A piada, como a sátira, constrói tipos e características que produzem figuras de inversão e de exagero, ou seja, verdadeiras caricaturas que são meramente retóricas e não realistas. Dessa maneira, a piada incidirá com mais força contra aqueles que estão nos extremos dos padrões da sociedade. Faz-se piada e ri-se daquele que é "muito claro", imputando-lhe o apelido de "branquela", "barata descascada", ou daquele que é "muito escuro", alcunhando-o de "tição".

O discurso da piada que tem o negro como protagonista é um fenômeno recente. Constatei, com base em fontes escritas, que não há piadas a esse respeito na sociedade escravista; naquele contexto o negro era considerado uma mercadoria, destituído da participação e da competitividade reinante nas esferas de poder. Mesmo porque o sistema escravista procurou transformar o escravizado em um animal, desfigurando-o e negando sistematicamente sua capacidade de ser humano. O escravizado era tido como um ser não histórico, não sendo por isso objeto das piadas.

A produção e a reprodução das piadas que se ocupam do africano e de seus descendentes são resultantes do final da escravidão, da difusão das teorias raciais, do início da imigração europeia, da doutrina do branqueamento, do temor que o Brasil se tornasse um Haiti, mas, sobretudo, dos mecanismos discriminatórios e marginalizadores que foram acionados contra eles no momento da mudança para a nova ordem social e jurídica implementada pela República e pelo trabalho livre e assalariado. As piadas, assim, são produzidas e reproduzidas como um exercício político de exclusão desse contingente populacional no novo Estado que se erigia no limiar do século XIX para o XX.

Essa tese é corroborada por Agnes Heller (1989, p. 54-5) quando afirma que

> [...] a classe burguesa produz preconceitos em muito maior medida que todas as classes sociais conhecidas até hoje. Isso não é apenas consequência de suas maiores possibilidades técnicas, mas também de seus esforços ideológicos e hegemônicos: a classe burguesa aspira a universalizar sua

ideologia. [...] O preconceito contra determinados grupos (os preconceitos nacionais, raciais, étnicos) só aparecem no plano histórico, em seu sentido próprio, com a sociedade burguesa.

Na relação entre brancos e negros, o discurso da piada configura-se numa mensagem que se projeta constantemente contra o pano de fundo das ideologias da democracia etnorracial e social. Dissimula e consolida preconceitos e estereótipos: o negro em geral aparece situado no lugar de excluído, inferiorizado que sobrevive graças às suas atitudes marginais, enquanto o branco é retratado no vértice mais alto da pirâmide social, participando do poder e dos valores hegemônicos. Nesse terreno movediço das relações etnorraciais no Brasil, a piada e o riso manipulam com extrema habilidade o cenário aparente da harmonia social.

Embora alguns povos cultivem a piada como forma de rir de si próprios diante dos dissabores do dia a dia, tal comportamento não é comum entre os negros. Ao contarem as piadas, objetivam a exorcização, a decodificação e a subversão das mensagens que estas carregam, bem como o fortalecimento de seu espírito – aviltado por séculos de repressões materiais e simbólicas.

Porém, há entre os negros uma disposição de se autoflagelar quando difundem piadas, disposição própria de um longo mecanismo de negação, da introjeção dos valores hegemônicos, homogeneizantes e da doutrina do branqueamento. Essa postura está relacionada à força do fetiche da "brancura" e aos valores ocidentais impostos pelos veículos midiáticos, pela escola, pelas igrejas e demais instituições sociais.

Dessa maneira, não podemos encará-la como simples mecanismo de alienação, mas como parte das complexas relações de poder e de posicionamento político-cultural e econômico de cada indivíduo no interior de nossa sociedade.

Nesse processo de autonegação, os negros tentam repelir, pelo prazer do riso, o desprazer que sentem no corpo e na alma. Ao contar piadas que desqualificam o seu contingente populacional na presença de brancos, em geral almejam tornar-se os sujeitos produtores dessas mensagens, não seu objeto nem seus receptores. Não fazem qualquer referência a si próprios. Tal situação expressa a falta de identidade existente entre esse negro e sua história, sua cor e seus demais traços fenotípicos.

O discurso da piada pretende a correção social mediante a ridicularização daqueles que estão afastados do modelo hegemônico. Nesse sentido, os negros são os alvos privilegiados desse discurso da correção e do trote social, mas mudanças conjunturais e institucionais ocorridas nas últimas décadas geraram piadas que alteraram o objeto da ridicularização e do riso. Os negros, antes protagonistas exclusivos de determinadas piadas, foram substituídos pelos pobres, pelos políticos e pelo país. Isso se observa, por exemplo, nas seguintes piadas:

Antes	Depois
– Quando o negro voa? – Quando cai da construção.	– Quando o pobre voa? – Quando cai da construção.
– Por que os negros dos Estados Unidos são melhores que os do Brasil? – Porque estão mais longe.	– Por que os políticos dos Estados Unidos são melhores que os do Brasil? – Porque estão mais longe.
– Qual é a diferença entre o negro e o câncer? – O câncer evolui.	– Qual é a diferença entre o Brasil e o câncer? – O câncer evolui.

Ao substituir os protagonistas, ou melhor, os objetos do riso, essas piadas ampliam o quadro dos excluídos e dos estigmatizados sociais. A medida visa provocar o riso usando outros agentes sociais genéricos, mas passíveis de ser ridicularizáveis. Na primeira piada, os "negros" foram substituídos pelos "pobres", ampliando o quadro dos excluídos. Na segunda piada, demonstra-

-se que os "políticos brasileiros" são piores que os estadunidenses não por critérios de capacidade, de competência ou de probidade administrativa, mas por estarem, aqui, no Brasil. Na terceira, enfatiza-se uma crítica à sociedade brasileira no que tange ao seu profundo conservadorismo, mas também à ideia evolucionista de que a presença negra significa atraso social, econômico, político e cultural em qualquer país.

A substituição dos protagonistas da piada deve-se às mudanças socioculturais e institucionais ocorridas na sociedade brasileira nos últimos anos, sobretudo em relação às questões etnorraciais e de gênero. Constata-se a intervenção de diversos agentes e segmentos sociais quanto aos malefícios que os preconceitos e os estigmas acarretam à sociedade.

Têm sido incessantes a luta e a disposição das entidades do movimento negro, de direitos humanos e antirracistas contra mensagens e discursos que difundem preconceitos contra os negros, as mulheres, os nordestinos, os judeus etc. Entre as recentes conquistas desses militantes ressaltam-se a criação da delegacia contra crimes raciais e a promulgação de diversas leis contra o racismo. Merece destaque a Lei n. 7.437, de 20 de dezembro de 1985, de autoria do deputado federal Carlos Alberto de Oliveira, que inclui, entre as contravenções penais, a prática de atos resultantes de preconceito de raça, de cor, de sexo ou de estado civil.

Em seguida veio a Lei n. 7.716, de 5 de janeiro de 1989, que define os crimes resultantes de preconceito de raça ou de cor. Seu artigo 20, um dos mais amplos, sofreu ao longo dos anos diversas modificações, tendo atualmente a seguinte redação:

> Art. 20. Praticar, induzir ou incitar a discriminação ou preconceito de raça, cor, etnia, religião ou procedência nacional.
>
> Pena: reclusão de um a três anos e multa.
>
> § 1.º Fabricar, comercializar, distribuir ou veicular símbolos, emblemas, ornamentos, distintivos ou propaganda que utilizem a cruz suástica ou gamada, para fins de divulgação do nazismo.

> Pena: reclusão de dois a cinco anos e multa.
>
> § 2.° Se qualquer dos crimes previstos no *caput* é cometido por intermédio dos meios de comunicação social ou publicação de qualquer natureza.
>
> Pena: reclusão de dois a cinco anos e multa.
>
> § 3.° No caso do parágrafo anterior, o juiz poderá determinar, ouvido o Ministério Público ou a pedido deste, ainda antes do inquérito policial, sob pena de desobediência:
>
> I – o recolhimento imediato ou a busca e apreensão dos exemplares do material respectivo;
>
> II – a cessação das respectivas transmissões radiofônicas ou televisivas;
>
> III – a interdição das respectivas mensagens ou páginas de informação na rede mundial de computadores.
>
> § 4.° Na hipótese do § 2°, constitui efeito da condenação, após o trânsito em julgado da decisão, a destruição do material apreendido.

Contudo, a piada na sociedade brasileira é transmitida com jeitinho, burlando com artimanhas as normas e as regras sociais, mesmo havendo leis rigorosas para autores desse tipo de crime.

PIADA E JEITINHO

O Brasil é conhecido no exterior como um país de pessoas não sérias, que brincam e ironizam a crise seja ela qual for. Faz-se humor de tudo a fim de amenizar as dificuldades. Esse modo de ser e de agir de grande parcela da população e da classe dirigente nacional diante da realidade demonstra um traço de nosso caráter. O abrandamento e a dissimulação das crises se dão pela alegria e pela irreverência. Isso faz que outros povos nos vejam como alienados, sem capacidade para enfrentar os problemas ou impotentes diante deles.

O Brasil também é conhecido como o país do jeitinho, onde se encontram meios para quase tudo, inclusive para lidar com os preconceitos velados, somente revelados em público em circunstâncias-limite. Um jeitinho sutil, mas não menos violento e perverso, é o de expressar o preconceito em relação aos negros por meio da irreverência das piadas, enfim, do humor.

Porém, o jeitinho não pode ser compreendido como simples folclore, sobrevivência cultural ou costume inocente que desaparecerá com o desenvolvimento cultural e político-econômico. Ele precisa ser entendido como parte das regras sociais, sendo um *modus operandi* que medeia as relações, resultando em privilégios e benesses de várias ordens e implicando um instrumento de poder e de exclusão.

O jeitinho é um artifício articulador da corrupção, dos favorecimentos, dos nepotismos, sendo interpretado como arte de bem viver, lance de esperteza, malandragem que em certa medida negam os códigos jurídicos e éticos da sociedade. Esse tipo de conduta dribla os instrumentos e os aparelhos repressivos, visando sempre tirar vantagem. Porém, não é exclusivo do malandro, mas de todos os que se beneficiam desse artifício, posicionando-se à margem da legalidade. Nesse sentido, o jeitinho e seus usuários fazem do discurso da igualdade democrática um meio para não abandonar os valores e velhos privilégios particularistas.

O poder do jeitinho relativiza a norma social, a lei. Inúmeros autores abordaram essa questão, entre eles Roberto Campos (1966) e Lívia Barbosa (1992). Como não é nossa intenção aqui esmiuçar o assunto, cabe afirmar que o jeitinho tornou-se um mecanismo que perpetuou privilégios de várias ordens, favorecendo o nepotismo, entre outras chagas sociais.

Cabe ressaltar que, com todos os equívocos e desmandos na política pública e na jurisprudência nacional ocorridos ao longo dos séculos, ainda se constata que a sociedade brasileira tem esperança de que as leis possam acarretar uma melhoria na qualidade de vida e realizar uma transformação social. Tal crença está ligada à da mudança social tranquila, pacífica, sendo sintetizada no pensamento tanto dos políticos de esquerda como de "direita".

A esquerda brasileira interpreta o jeitinho como arma da classe dominante para manter os oprimidos sociais no atual *status quo*. A direita o vê como fruto da cultura e do modo de ser alegre, cordial e simpático do povo. Essa visão é profundamente idealista e romântica quando interpreta como o jeitinho decorrente da tolerância e das convivências pacífica e harmônica entre as raças e os povos.

Com essa perspectiva, faz-se a apologia do processo sincrético, da transculturação e da miscigenação como parte da rudimentar "engenharia genética portuguesa". Alude-se à ideologia da democracia etnorracial e social, que procura dar conta das incongruências entre a prática discriminatória e a ideologia igualitária brasileira.

O ideal igualitário implantado no Brasil concebeu a sociedade como o simples produto da contribuição harmônica das culturas indígena, afro-brasileira e branca europeia. Essa concepção é questionável, pois se baseia no reducionismo das capacidades e potencialidades de cada povo e cultura. Vejamos esta afirmação de Degler (1976, p. 99):

> do índio herdamos o amor à liberdade e à natureza, do negro a música, a sensualidade e também parte de nossa culinária e, do português as nossas instituições sociais e políticas, assim como a ausência de sentimento discriminatório em relação às outras raças, o que sempre nos levou a tratar de forma igualitária e humana as demais etnias com as quais convivíamos. Temos entre nós até o mito de português como o senhor benigno, que tratava com humanidade e familiaridade os seus escravos.

Com o ideal do igualitarismo tentou-se imprimir a farsa de que o português era bom para os negros submetidos à condição escrava, tratando-os com relativa familiaridade e humanidade. Um dos maiores ideólogos da boa convivência entre as raças foi Sérgio Buarque de Holanda (1988), que fez apologia à cordialidade brasileira.

O "homem cordial" e a nossa cordialidade são fenômenos resultantes do incessante recurso à dissimulação, ao disfarce dos conflitos oriundos das relações sociais, individuais e coletivas. A cordialidade não é uma mera submissão diante do poder e de uma relação opressora; é também uma estratégia de sobrevivência num universo alicerçado por particularismos e favores. Aqui, mais uma vez o jeitinho veste a máscara da tolerância e da generosidade. A cordialidade brasileira precisa ser interpretada como uma suposta democratização das relações pessoais e coletivas. Omitem-se as disparidades sociais calcadas na desigualdade socioeconômica existente entre negros e brancos e entre pobres e ricos.

A igualdade e a democracia brasileiras inexistem e o brasileiro, salvo algumas exceções, expressa o seu preconceito contra o outro, principalmente na informalidade do discurso jocoso. Assim, quase todos os nossos cidadãos se dizem abertos, igualitários, sem nenhum preconceito, e desconhecem a presença de atitudes discriminatórias no país. O que levou Carl Degler (1976, p. 107-8) a lembrar que Florestan Fernandes afirmava que

> "o brasileiro tinha preconceito de ter preconceito". Enquanto Costa Pinto identificava no Brasil o fenômeno da criptomelania, ou seja, que há um "medo de confessar e o desejo de esconder a importância que realmente se dá à questão da raça e da cor" entre nós. T. L. Smith fez também referência a esse fato quando afirmou que "os principais intelectuais do país, cujo credo não escrito têm dois dogmas principais: 1) não deve ser admitido, em nenhuma circunstância que existe discriminação racial no Brasil; 2) e qualquer expressão que possa surgir de uma discriminação deve ser atacada como não brasileira.

O medo de descobrir-se ou ser descoberto como preconceituoso ou racista faz que o brasileiro, ao contar uma piada antinegro e ser contestado, peça desculpas, esquivando-se da pecha de racista. Talvez ele reafirme a intenção da piada, dizendo de forma tranquila e paternalista: "Você é meu amigo. Você não é negro". Ou: "Você é meu amigo. Não é como os outros". Ou ainda: "Não sabia que você iria se ofender, só foi uma brincadeira, desculpe. Eu não sou racista, só gosto de piada". E também: "Você sabe que eu não sou racista, sou até casado com uma negra".

Constata-se, portanto, que a piada tem no riso e no jeitinho excelentes mecanismos impulsionadores de mensagens preconceituosas sobre os negros e outros agentes sociais constituidores da sociedade. A piada alicerçada no *racismo à brasileira* articula a desfaçatez e com sutileza denuncia de forma risonha, "suave" e alegre a presença dos excluídos sociais, dando-lhes visibilidade.

PIADA, IDEOLOGIA E HEGEMONIA

Agora, torna-se imperioso conceituar ideologia e hegemonia, a fim de que possamos refletir sobre as mensagens difundidas pela piada.

É clássica a interpretação em Karl Marx de que ideologia é o ocultamento ou o falseamento da realidade e dos interesses, mas também o instrumento que engendra o consenso entre os diversos segmentos sociais. O seu discurso na piada aparece como suporte de ocultamento de interesses, mas também como veículo difusor destes mesmos interesses não ditos.

O discurso ideológico procura ausentar-se do processo histórico, colocando-se à margem do tempo e de um lugar social específico. Ele é eficaz quando realiza, como diz Marilena Chaui (1990, p. 5), um

> movimento que lhe é peculiar, qual seja, recusa o não saber que habita a experiência, tem a habilidade que assegura uma posição graças à qual neutraliza a história, abolindo as diferenças, ocultando as contradições e desarmando toda a tentativa de interrogação.

A mesma autora afirma (*op. cit.*, p. 29) que

> [...] O que devemos compreender é que a ideologia procura neutralizar o perigo da história, ou seja, opera no sentido de impedir a percepção da historicidade. Deve-se considerar que a ideologia por excelência consiste em permanecer na região daquilo que é sempre idêntico, e, nessa medi-

da, fixando conteúdos, procura exorcizar aquilo que tornaria impossível o surgimento da história e o surgimento da própria ideologia: a história real, isto é, a compreensão de que o social e o político não cessam de instituir-se a cada passo.

Ao suprimir a noção transformadora da história, como processo social, a ideologia valoriza o conceito de progresso, de desenvolvimento e de ordem social imutável. A ideologia dominante metamorfoseia o processo histórico no mero e irredutível destino.

Assim, o discurso ideológico visa eliminar a diferença existente entre o pensar, o dizer e o ser, fazendo que o indivíduo ou o grupo tenham a ilusão de participar de um universo homogêneo. Tal discurso vincula-se aos processos de ordem cultural, seja por meio da doutrinação, seja "através de programas humorísticos, novelas, piadas, como forma de manutenção de uma ideia via mecanismo informal de comunicação de massa" (Lauriti, 1990, p. 29).

A linguagem – escrita ou verbalizada – veicula ideias com base na visão de mundo da classe dominante que rege determinada época, sendo portadora e emissora de uma verdade que estrutura o pensamento e os códigos éticos e morais da sociedade. Porém, não se pode negar que há várias ideologias em conflito. Um exemplo é o segmento de afro-brasileiros, que, a despeito da ideologia dominante, procuram preservar sua memória, sua história e sua ancestralidade como mecanismo de resistência cultural e psíquica diante do discurso euro-ocidental vigente no país.

O conceito de hegemonia está intimamente vinculado às relações de poder, à gênese do fenômeno da obediência e da subordinação, tanto estrutural como conjunturalmente. Estabelece uma leitura de mundo concreta que possibilita a percepção das representações, das normas e dos valores como práticas socioculturais que se organizam na dinâmica da sociedade.

Entretanto, muitas vezes o conceito de hegemonia aproxima-se e equipara-se ao de domínio, enfatizando mais o seu "aspecto coativo que o persuasivo, a força mais que a direção, a submissão de quem suporta a hegemonia mais que a legitimação e o consenso, a dimensão política mais que a cultural, intelectual e moral" (Bobbio *et al.*, 1992, p. 580).

Nas sociedades complexas recortadas por segmentos sociais historicamente situados de maneira antagônica ou complementar, constata-se que a formulação do pensamento e da prática hegemônica é um pré-requisito estratégico para a conquista e a manutenção do poder político-econômico. A hegemonia deve sintetizar um pensamento e uma prática coerentes e capazes de aglutinar aliados em prol de interesses imediatos. A hegemonia deve atuar como princípio de unificação dos segmentos e, ao mesmo tempo, ser um princípio de disfarce do domínio.

PORTUGUÊS: ESTIGMA DA BURRICE

Refletir a respeito das piadas protagonizadas por portugueses é importante na medida em que eles são representados como "brancos burros". Mas por que isso ocorre? Qual é a relação entre portugueses e negros nas piadas?

A sociedade brasileira estigmatiza com bastante veemência a suposta burrice dos lusos. Nas piadas, eles estão sempre dificultando questões simples que aparecem no seu cotidiano, como demonstra a piada a seguir.

> O sequestro foi um fracasso e os três bandidos foram condenados a 30 anos de reclusão. Um era alemão, o outro, brasileiro e o terceiro, português. Antes de ser colocados numa solitária, onde ficariam incomunicáveis por 30 anos, cada um teve direito a um pedido.
> O brasileiro pediu uma mulher para lhe fazer companhia na cela. O alemão quis uma biblioteca para estudar, além de lápis, papel, canetas e mil dicionários. O Manuel, que era um fumante inveterado, não teve dúvidas:
> – Gostaria, se fosse possível, de um caminhão de cigarros.
> Passadas três décadas, quando abriram a cela do alemão, acharam o cara cercado de centenas de teses científicas, manuscritos e um montão de descobertas. O brasileiro estava só pele e osso, com a mulher grávida e

um montão de filhos correndo pela cela. Quando abriram a solitária do português, encontraram-no trêmulo, desesperado, um cigarro apagado na mão, gritando:

– Um fósforo, por favoire, um fósforo!

Essa, como outras piadas, salienta o preconceito do brasileiro a respeito do português, preconceito que se destacou principalmente após a independência de nosso país. A fim de esclarecer esse processo de representação negativa do luso, é importante abordar a conjuntura e a estrutura sociocultural do Brasil no século XIX.

A família real portuguesa aportou em Salvador no dia 23 de janeiro de 1808 impressionando os nacionais pelo luxo que portava. Em seguida, fixou residência no Rio de Janeiro, então capital colonial, cidade que seria transformada também em sede do Reino.

O Brasil passou a viver um momento de franco desenvolvimento econômico, cultural e intelectual. O Rio de Janeiro teve de transformar sua fisionomia, sobretudo sua arquitetura barroca, pois muitos artistas, arquitetos e engenheiros da França e da Áustria foram contratados para impor à capital o modelo neoclássico tão em voga na Europa. Esses profissionais constituíram a primeira missão cultural e artística franco-austríaca.

Tal missão incentivou fortemente o intercâmbio de ideias que circulavam no velho continente, impulsionando inclusive o processo de independência do Brasil da metrópole lusa. Nossa emancipação recrudesceu a animosidade existente entre nacionais e reinóis. J. F. de Almeida Prado (s/d) constatou que já nas primeiras décadas do século XIX os reinóis passaram a ser considerados estrangeiros no Brasil pela "burguesia nativa"; havia, ainda que de forma tímida, a vontade da aristocracia nacional de engendrar um projeto de recolonização que viabilizasse e legitimasse a nova nação.

Com a mudança de *status* político advindo do processo de independência, o Brasil tentou solucionar a questão de sua legitimidade como país. De um lado, passou-se a desconsiderar a territorialidade e os títulos de nobreza anteriormente destinados à realeza portuguesa. De outro, buscou-se estabelecer a nacionalidade com base em nossa herança indígena.

Ao tornar o índio símbolo da brasilidade, o segmento dominante quis resgatar com certo romantismo o mito de liberdade e de "bom selvagem" dessa população nativa, mas também excluir o africano e o afro-brasileiro da nova nação, além de tornar o reinol um estrangeiro. Retirava-se do português sua condição de mandatário. De forma sistemática, condenava-se a sua incompetência na condução dos negócios na antiga metrópole e na colonização do Brasil.

Nesse contexto, muitos intelectuais esboçaram severas críticas aos reinóis no Brasil independente. Sérgio B. de Holanda (1988, p. 10) afirma:

> Uma digna ociosidade sempre pareceu mais excelente, e até mais nobilitante, a um bom português, ou a um espanhol, do que a luta insana pelo pão de cada dia. O que ambos admiram como ideal é uma vida de grande senhor, exclusiva de qualquer esforço, de qualquer preocupação. E assim, enquanto povos protestantes preconizam e exaltam o esforço manual, as nações ibéricas colocam-se ainda largamente no ponto de vista da antiguidade clássica. O que entre elas predomina é a concepção antiga de que o ócio importa mais do que o negócio e de que a atividade produtora é, em si, menos valiosa que a contemplação e o amor.

O processo ideológico calcado na independência e no nacionalismo acabou reforçando a ideia de que o reinol era um aventureiro que visava ao enriquecimento fácil e rápido sem gastar muita energia, ou seja, o português passou a ser visto como um indivíduo que buscava a acumulação de fortunas e encontrou no negro (africano ou brasileiro) suas mãos e seus pés.

A construção da negatividade do português na sociedade brasileira deve ser analisada, também, do ponto de vista etnorracial.

Para os intelectuais da raça, a herança africana dificultava o processo de desenvolvimento e de recolonização da sociedade.

Na segunda da metade do século XIX, Gobineau (*apud* Raeders, 1988, p. 91), então embaixador da França no Brasil, afirmava que "as damas brasileiras que viu são todas simplesmente hediondas". A despeito de outras opiniões, ele entendia que as mulheres brasileiras eram muito feias, sobretudo quando vestiam trajes escandalosos, carregados de babados e cores, demonstrando a presença afro-arábica e afro-brasileira no vestuário dos lusos e dos "brancos" nacionais.

Gobineau constatou que, com exceção do imperador, que era ariano (ou quase), os brasileiros de forma geral eram mestiços – mulatos e mamelucos – situados em diversas posições da sociedade escravista. Ele afirmava (Gobineau *apud* Raeders, 1988, p. 90) que

> nenhum brasileiro era de sangue puro; as combinações dos casamentos entre brancos, indígenas e negros multiplicaram-se a tal ponto que os matizes da carnação são inúmeros, e tudo isso produziu, nas classes baixas e nas altas, uma degenerescência do mais triste aspecto [...] A população é mulata, com sangue viciado, espírito viciado e feia de meter medo. [...] Já não existe nenhuma família brasileira que não tenha sangue negro e índio nas veias; os resultados são compleições raquíticas que, se nem sempre repugnantes, são sempre desagradáveis aos olhos. [...] A imperatriz tem três damas de honra: uma marrom, outra chocolate, e a terceira, violeta.

As afirmações de Gobineau baseavam-se nas teorias raciais que consideravam a superioridade dos arianos sobre as outras raças e a miscigenação desencadeada na metrópole e em suas colônias um desastre para o desenvolvimento e o progresso civilizatório dos portugueses, causando a degeneração etnorracial e a decadência social de suas ex-colônias e da própria nação lusa.

A teoria da superioridade ariana tomou conta da intelectualidade e dos políticos brasileiros, que viam os portugueses como exemplo de *degenerescência latina* que, ao "misturar-se" com africanos e indígenas, atraiu para si a inferioridade destes, alterando seu próprio ser antes "superior". Os portugueses foram considerados na Europa "mestiços" e "europeus de segunda categoria", "os mais atrasados", em decorrência de sua *imprevidência, indolência e imoralidade cultural e somática.*

Assim, os portugueses tornaram-se o alvo predileto do "estigma da burrice", transformados em objeto de riso e de ridicularização, portanto de piadas e de sátiras que consolidavam essa imagem. Por meio de piadas e de sátiras, o povo e a "elite nacional" ressignificaram a presença dos portugueses como representantes dos antigos "donos do poder".

Nas palavras de Skidmore (1976, p. 69-70),

> a tese [da soberania ariana], por denegrir os iberos, agradava aos nacionalistas, que tinham forte sentimento antiportuguês, mas era inconveniente também para os nacionalistas, que temiam a intervenção ou dominação "anglo-saxônica". Porém, esses últimos não se davam ao trabalho de repudiar a teoria ariana, insistiam simplesmente junto aos seus compatriotas na necessidade de acordarem para a luta darwiniana imposta por incursões americanas, norte-europeias ou representada pelos grandes investimentos estrangeiros ou, ainda, por colônias de imigrantes. A aplicação da teoria ariana aos africanos não constituía problema, porque, nesse contexto, "ariano" podia ser prontamente traduzido por "branco". Os brasileiros estavam sempre dispostos a repetir a acusação de que o negro nunca construiu civilização alguma.

Constata-se que o africano e seus descendentes tornaram-se os alvos privilegiados de um ataque social e etnorracial, bodes expiatórios que justificariam os atrasos econômicos, culturais e tecnológicos do país. As teorias raciais no Brasil foram adaptadas aos interesses dos segmentos dominantes, sem, contudo, abandonar o processo de estigmatização dos portugueses nas relações cotidianas.

A estigmatização foi abrandada com a justificativa de que os conquistadores lusos eram fidalgos e nobres sem posses monetárias e morais, pessoas pertencentes à ralé da sociedade lusa, degredados e prisioneiros. O que explicaria a frágil herança cultural e a "miséria somática" que eles legaram ao povo brasileiro.

Nessa reflexão percebe-se que são raros os "brancos", no sentido ariano do termo, existentes em nossa sociedade, mas em contrapartida há muitos "negros de pouca tinta".

Em suma, os estigmas, as ridicularizações e, consequentemente, a produção e a reprodução de piadas referentes aos portugueses decorrem das disputas político-econômicas e culturais pós-independência e da busca de modernidade imposta pelos liberais baseados nos paradigmas francês e inglês. São fruto, ainda, dos debates procedentes das teorias raciais e do processo miscigenatório desencadeado entre eles e os africanos tanto no Brasil como em Portugal.

O NEGRO, A PALAVRA E A MENTIRA

Com base neste e em outros estudos pode-se afirmar - mesmo correndo o risco de cair em generalizações - que a sociedade brasileira é bastante influenciada pelas tradições culturais africanas e ocidentais. As tradições africanas e indígenas desenvolvem-se de maneira diferente e até mesmo oposta à europeia, particularmente pelo uso que fazem da palavra falada.

A palavra é o veículo principal da piada. Seja pela fala ou pela escrita, ela transmite "verdades" e "mentiras", estrutura estereótipos, preconceitos etc. Na sociedade ocidental, a palavra escrita predomina sobre a falada. Por meio dos registros manuscritos busca-se a legitimidade da "verdade". Os segmentos sociais letrados e dominantes arrogam-se o papel de difusores da "verdade" histórica e científica.

Pierre Clastres (1988, p. 88) afirma:

> [...] o discurso ingênuo dos *selvagens* nos obriga a considerar o que poetas e pensadores são os únicos a não esquecer: que a linguagem

> não é um simples instrumento, que o homem pode caminhar com ela, e que o Ocidente moderno perde o sentido de seu valor pelo excesso de uso a que a submete. A linguagem do *homem civilizado* tornou-se completamente exterior a ele, sendo apenas um meio de comunicação e informação. A qualidade do sentido e a quantidade dos signos variam em sentido inverso. As *culturas primitivas*, ao contrário, mais preocupadas em celebrar a linguagem do que em servir-se dela, souberam manter com ela essa relação interior que é já em si mesma aliança com o sagrado. Não há, para o *homem primitivo*, linguagem poética, pois sua linguagem já é, em si mesma, um poema natural em que repousa o valor das palavras. [Grifos nossos]

Tierno Bokar (*apud* Hampate Bâ, 1982, p. 81) critica a preponderância da escrita na sociedade; muito embora ela seja uma tecnologia importante, não é em si o conhecimento do ser humano. Segundo o autor:

> a escrita é uma coisa, e o saber, outra. A escrita é a fotografia do saber, mas não o saber em si. O saber é uma luz que existe no homem. A herança de tudo aquilo que nossos ancestrais vieram a conhecer e que se encontra latente em tudo o que nos transmitiram, assim como o baobá já existe em potencial em sua semente.

É oportuno citar que as diversas civilizações africanas espalhadas no Saara e ao sul desse imenso deserto estão fortemente ligadas à palavra, à tradição oral. Nessas civilizações, a escrita é um fator secundário. Para J. Vansina (1982, p. 157), "seria um erro reduzir a civilização da palavra falada simplesmente a uma negativa, ausência do escrever, e perpetuar o desdém inato dos letrados pelos iletrados".

Em resumo, não se pode afirmar, mesmo que grosseiramente, que as civilizações africanas sejam simplesmente iletradas ou ágrafas. Elas têm na palavra falada um dos sustentáculos do seu código social e cosmológico. A palavra é um mecanismo de comunicação e expressão primordial: por meio dela alcança-se o mais alto grau de unidade e identidade individual e coletiva; é com ela que se transmite o conhecimento para as gerações futuras.

Nas "sociedades da oralidade", a fala, além de ser um meio de comunicação cotidiana, é uma forma de preservar a sabedoria e o conhecimento dos antigos e dos ancestrais. J. Vansina (1982) ensina que a comunicação ocorre pelas elocuções-chave, eixos portadores da mensagem grupal que não podem sofrer alterações profundas de geração a geração. Com a palavra se dá o testemunho, nomeiam-se e criam-se coisas.

Dessa forma, a palavra é concebida como portadora da absoluta verdade, expressando o real e o imaginário de modo contundente e inquestionável. A mentira, nesse cenário, pode gerar a morte, pois nega a energia vital que circula no grupo, gerando desconfiança e prejudicando a constituição de uma identidade que se constrói interpessoalmente.

Na sociedade euro-ocidental, no entanto, a palavra é utilizada de forma oposta à das africanas e indígenas: torna-se um mecanismo que, articulado pelo exercício do bem falar, ou seja, da retórica, da oratória, conquista e consolida pela via do consenso o poder político-econômico e sociocultural-religioso.

Starobinski (1991, p. 316-17) afirma:

> Rousseau assinala com nitidez o ponto de partida e o ponto culminante da história da linguagem. De um lado, a origem silenciosa; de outro, a função política: persuadir homens reunidos, solicitar seu comum consentimento, influir sobre a sociedade [...] Rousseau nos incita a considerar a perversão possível da palavra, que a impedirá de atingir seu apogeu eloquente, ou que, depois de um período de plenitude, a arrastará para o caminho da decadência. A linguagem degenera, corrompe-se, torna-se discurso abusivo, arma envenenada: o homem, simultaneamente, desencaminha-se, comporta-se como enganador e mau. Da mesma maneira que o nascimento da sociedade corresponde à emergência da linguagem, o declínio social corresponde a uma depravação linguística

> [...] A palavra ardilosa exerce uma violência dissimulada. Vemos aqui a palavra empregada em sua função social, mas para instituir a má socialização, a sociedade da desigualdade.

A "verdade preconceituosa" difundida em relação aos negros e a outros excluídos sociais estruturou-se com a percepção da classe dominante – seja aquela situada nas igrejas católica e protestante, seja a alocada nas academias científicas – de que a palavra tinha o poder de persuasão e penetração nos segmentos populares. No primeiro caso, a justificativa veio da filosofia greco-romana e da teologia judaico-cristã; no segundo, na razão iluminista e cartesiana. Esse aval foi importantíssimo para a edificação dos processos de estigmatização e de escravização dos africanos e seus descendentes.

Aliás, a estigmatização da população africana surgiu mesmo antes de ela ser escravizada no Brasil. Na Bíblia e nas interpretações tendenciosas dos teólogos encontram-se várias referências estigmatizantes. Vale lembrar que a Bíblia é dividida em Antigo e Novo Testamento. O primeiro, escrito basicamente em hebraico, imputa aos africanos o termo *Cuxe.* O Novo Testamento, escrito em grego, designa os africanos e o continente que habitam com a palavra *Etiópia.*

De acordo com Oliveira (1992, p. 5):

> o termo etíope vem de "aitér", que significa ar que queima, perto do sol. "Aitiops" é aquele que vive nesses ares queimados. Evidente que a palavra foi criada a partir do ponto de vista dos povos de clima mais frio e pele mais clara, e já contém um tom pejorativo, como aparece nos textos de Homero (*Ilíada* 1, 423-7 e *Odisseia* 1, 21-3), onde os etíopes são relacionados com a ideia de relaxamento moral, ociosidade, falta de seriedade e senso de festividade.

A "terra de Cuxe" aparece no Gênesis 2, 10-14, referindo-se à localização do paraíso terrestre. Muitos são os momentos do

Antigo Testamento em que se menciona a presença de Cuxe e dos cuxitas. A fundamentação do estigma contra os africanos e seus descendentes está no livro do Gênesis 9, 18-27, quando da maldição de Noé sobre seu filho Cam.

Vale salientar que essa passagem foi escrita no período compreendido entre os reinados de Saul e Davi como justificativa do domínio dos israelitas sobre os descendentes de Cam, de Canaã e de Cuxe. O Salmo 105, 11, ilustra esse momento histórico quando diz: "Senhor: Dar-te-ei a terra de Canaã, como porção da tua herança".

As profecias e as leituras teo(ideo)lógicas fomentaram e consolidaram estigmas e crenças "antinegro". Verifica-se isso em Isaías, nos Livros dos Reis, nas Crônicas e em Naum.

A estigmatização e os preconceitos contra os cuxitas eram justificados pela sua cor de pele, interpretada como portadora do pecado e fator de sua associação à maldição de Cam. Na Bíblia, em Jeremias, Capítulo 13, versículos 23-27, constatamos uma breve passagem em que o profeta insinua ser a cor da pele a encarnação do pecado e do mal que reside no ser de forma inelutável e inequívoca, não podendo ser escamoteada, posto que é da natureza da pessoa. Especialmente quando diz, no versículo 23: "Pode o etíope mudar a sua pele, ou o leopardo as suas manchas? Então podereis também vós fazer o bem, habituados que estais a fazer o mal".

No latim, Etiópia ficou com o sentido de "vil", "de abjeto". Segundo Oliveira (1992, p. 5), Ambrósio nos diz: "O que é mais vil do que o nosso corpo? O que é mais parecido com a Etiópia, que é negra pelas trevas do pecado?" Nesse mesmo sentido, Orígenes, ao comentar o Cântico dos Cânticos 1, 5-9, afirma:

> Eu sou morena, mas formosa, ó filhas de Jerusalém, como as tendas de Quedar, como as cortinas de Salomão. Não repareis em eu ser morena, porque o sol crestou-me a tez; os filhos de minha mãe indignaram-se contra mim, e me puseram por guarda de vinhas; a minha vinha, porém, não guardei. Dize-me, ó tu, a quem ama a minha alma: Onde apascentas

> o teu rebanho, onde o fazes deitar pelo meio-dia; pois, por que razão seria eu como a que anda errante pelos rebanhos de teus companheiros? Se não o sabes, ó tu, a mais formosa entre as mulheres, vai seguindo as pisadas das ovelhas, e apascenta os teus cabritos junto às tendas dos pastores. A uma égua dos carros de Faraó eu te comparo, ó amada minha.

Orígenes explica, segundo Oliveira (1992, p. 6) que, "negra pela ignomínia da raça, mas formosa pela penitência e pela fé [...] a alma se tornou negra porque desceu. Mas, quando começa a subir, ela se torna branca e cândida: rejeitando a negridão, ela começa a irradiar a verdadeira luz".

A Igreja Católica, atenta aos interesses econômicos e "missionários", legitimou o processo de escravização dos africanos. Em 8 de janeiro de 1454, o papa Nicolau V assinou a Bula Romanus Pontifex, tornando portugueses e espanhóis donos exclusivos do aprisionamento, tráfico e comércio de africanos. Essa bula foi ratificada pelos papas Calisto III e Sisto IV, em 1456 e 1481, ou seja, antes que o continente americano fizesse parte da expansão ultramarina.

A Igreja justificava a escravização dos africanos com um discurso humanista e missionário baseado na salvação das almas, já que a cor e o corpo estavam mergulhados na perdição das trevas por conta da maldição de Cam. Procurava-se, com os maus-tratos e os violentos castigos corporais infligidos aos negros, macular o corpo e a carne; esperava-se que sua alma se purificasse e eles se tornassem bons e dóceis.

No Brasil, o mais conhecido propagador desse processo de desumanização e animalização do escravizado foi o padre Antônio Vieira. Ele fundamentou seu pensamento ao eleger os africanos e seus descendentes como aqueles que tinham semelhança com Jesus Cristo, sendo "filhos do Calvário", pelo seu martírio, padecimento e sacrifício.

Quando fala aos escravizados, Vieira transforma sua palavra em uma arma que os aliena de sua existência e situação histórica.

A ideia é convencê-los de que precisam viver o cotidiano trabalhando em nome da construção do "Reino de Deus" de maneira penitente e graciosa, pois participam do amor e da bondade Dele. Nas palavras de Vieira, a brutal escravidão transfigura-se em algo bom e gratificante.

A labuta no engenho é comparada à cruz, carregada com afinco e devoção. Nas palavras de Vieira, o trabalho adquire o caráter sagrado e rememora o martírio de Jesus – ser escravo é ser Cristo. Vejamos um de seus sermões a escravizados na Bahia:

> Bem-aventurados vós se soubéreis conhecer a fortuna do vosso estado, e com a conformidade e imitação de tão alta e divina semelhança aproveitar e santificar o trabalho [...] Em um engenho sois imitadores de Cristo crucificado [...] que padeceis em um modo muito semelhante que o mesmo Senhor padeceu na sua cruz, e em toda a sua paixão. A sua cruz foi composta de dois madeiros e a vossa em um engenho é de três. Também ali não faltaram as canas porque duas vezes entraram na paixão: uma vez servindo para o escárnio e outra vez para a esponja em que lhe deram o fel. A paixão de Cristo parte foi de noite sem dormir, parte de dia sem descansar e tais são as vossas noites e os vossos dias. Cristo despido e vós despidos; Cristo sem comer, e vós famintos; Cristo em tudo maltratado, e vós maltratados em tudo. Os ferros, as prisões, os açoites, as chagas, os nomes afrontosos de tudo isto se compõe a vossa imitação, que se for acompanhada de paciência, também terá merecimento de martírio [...] Em todas as invenções e instrumentos de trabalho parece que não achou o Senhor outro que mais parecido fosse com o seu, que o vosso. A propriedade e energia desta comparação é porque no instrumento da Cruz e na oficina de toda a paixão, assim como nas outras em que se espreme o sumo dos frutos, assim foi espremido todo o sangue da humanidade sagrada. (Vieira *apud* Vainfas, 1986, p. 101)

Vieira chegou ao ápice de sua eloquente oratória fundamentando o encontro identitário dos negros escravizados com Cristo baseando-se nos Atos dos Apóstolos. Para ele (*op. cit.*, p. 102),

> a conversão do primeiro etíope ao cristianismo por Filipe Diácono deu-se quando este lia sobre o martírio de Jesus, donde se conclui que foi desígnio de Deus que os africanos adquirissem a verdadeira fé sobre o signo da Paixão.

Prossegue o jesuíta afirmando (*op. cit.*, p. 106):

> a natureza gerou os pretos da mesma cor de sua fortuna. [...] O próprio Cristo teria comparado o seu padecimento na cruz às dores do Inferno, razão pela qual o engenho, assim como a cruz, parecem infernais. E de todos os mistérios da religião cristã os que pertencem aos etíopes não são os gozosos, nem os gloriosos, mas os dolorosos. Esta é a fortuna dos negros na terra, o que lhes garante, contudo, a glória eterna. Deste modo, o horror do engenho não é mais que aparência.

Mas nem só a fé propagou mensagens racistas. Muitos foram os cientistas defensores da ideia de que os negros faziam parte de uma "raça inferior", que estava ainda no primeiro estágio da evolução humana. Vejamos alguns exemplos, apontados por Poliakov (1974) de discursos científicos que visam demonstrar a inferioridade genética e intelectual dos africanos e de seus descendentes. Como exemplo ele cita Charles White, Diderot e D'Alembert e Carl Linné:

> Remontando pela gradação, chegamos enfim ao europeu branco, que, sendo o mais afastado da criação animal, pode por isso mesmo ser considerado o produto mais belo da raça humana. Ninguém porá em dúvida a superioridade de sua potência intelectual. (White, 1799 *apud* Poliakov, 1974, p. 135)

> Não somente sua cor os distingue, mas diferem dos outros homens por todos os traços de seu rosto, dos narizes largos e chatos, dos grossos lábios e da lã no lugar dos cabelos, que parecem constituir uma nova espécie de homens. Se nos distanciamos do Equador para o polo antár-

> tico, o negro clareia, mas a feiura permanece: igualmente este povo feio que habita a ponta meridional da África. (Verbete "negros" da Enciclopédia de Diderot e D'Alembert *apud* Poliakov, 1974, p. 145)

> *Afer niger* significa astuto, preguiçoso, negligente [...] negro, fleumático [...] É governado pela vontade arbitrária de seus senhores. (Linné, 1793 *apud* Poliakov, 1974, p. 157)

Assim, os africanos foram posicionados na escala de evolução apenas acima dos macacos, tanto que no século XVIII Johann Fabricius, aluno de Carl Linné, visava, por meio de experiências científicas, demonstrar que eles descendiam do cruzamento entre homens e símios (Poliakov, 1974).

Os viajantes europeus que passaram pelo Brasil no século XIX basearam suas anotações no etnocentrismo ocidental, denotando seu "narcisismo cego". Nessas anotações, os africanos apareciam como turbulentos e indecorosos, malandros e imorais, não pensavam nem sentiam, eram ladrões e covardes, bárbaros e alcoólatras, indolentes e promíscuos, ignorantes e selvagens, indomáveis, viciados e grosseiros. Suas danças eram indecentes e imorais; sua música, monótona e insuportável; sua língua era vista como estranha. O que era diferente foi transformado em desigual, propiciando a desqualificação sociocultural e político-econômica de certos segmentos humanos. A raça tornou-se uma categoria social de análise e a forma de qualificar as pessoas.

Enfim, constata-se que a palavra instauradora da verdade e da vida material, simbólica e cosmológica dos grupos africanos sofre, no Ocidente europeu, alterações profundas, consolidando e legitimando a mentira que se situa no discurso ideológico.

A palavra que evoca a verdade, a mentira ou a ideologia guarda em si uma força que tem o poder de fundar, de transformar e de conservar; de dar a vida e acarretar a morte; de fomentar o sonho ou o pesadelo; de fazer rir ou provocar o pranto nos seres humanos.

3
Conhece aquela?

O mundo é deveras cômico, mas a piada está na raça humana.
H. P. Lovecraft

Neste capítulo, selecionei e analisei principalmente piadas feitas nos estados de São Paulo e Rio de Janeiro, não simplesmente por sua quantidade, mas pela qualidade, uma vez que seu significado sociocultural e histórico está intimamente relacionado com o tema desta obra. Ressalto mais uma vez, no entanto, que as piadas aqui apresentadas não são exclusivas da região Sudeste, tendo se disseminado por todo o país.

O Sudeste teve papel primordial no período escravista, sobretudo após declínio da economia açucareira no Nordeste, ocorrida na segunda metade do século XVII. Vale lembrar que, nas primeiras décadas do século XVIII, o Sudeste protagonizou o ciclo da mineração, fato importantíssimo para sua ascensão econômica.

O surto minerador provocou mudanças na ordem econômica e demográfica, acarretando uma ocupação sem precedentes no Centro-Sul da colônia, tanto pelo fluxo de portugueses como pelo tráfico interno do Nordeste.

A população de origem europeia aumentou no Brasil nesse período, e foi também maciça a importação de africanos. Durante o século XVIII, cerca de três vezes mais africanos foram traficados para o Brasil do que nos séculos anteriores, para trabalhar direta ou indiretamente na mineração.

Houve uma transformação significativa na composição etnorracial dos habitantes do Sudeste, além da mudança da capital colonial de Salvador para o Rio de Janeiro – devido à importância desta última no escoamento do ouro e diamante para a metrópole lusa.

O início do século XIX foi marcado pelo declínio da mineração, aparecendo o café como o principal produto agrícola na região. Seu cultivo se disseminou pelo Rio de Janeiro e por São Paulo.

A cultura do café coincidiu com a crise e com o final do tráfico negreiro no plano externo, ocasionando no plano interno o deslocamento de escravizados das minas e dos engenhos para os cafezais. Era compreensível que isso ocorresse, visto que a produção cafeeira assumiu a liderança das exportações brasileiras após a década de 1830, sendo responsável pelo deslocamento dos centros de decisão do país.

Em poucas décadas, a cultura cafeeira produziu a maior concentração regional de escravizados no Brasil, expandindo-se em áreas até então esparsamente povoadas. Os lucros do café, em São Paulo, propiciaram várias discussões matizadas pelos interesses econômicos e políticos, entre as quais as desenvolvidas pelos pequenos e médios fazendeiros que, formados em uma concepção burguesa e liberal emanada da Europa, fortaleceram a luta pelo fim do escravismo – muito embora sustentassem a ideia da mão de obra assalariada exercida pelos imigrantes europeus.

Mesmo antes do término da escravidão São Paulo já utilizava o trabalho livre com os imigrantes europeus em regime de parceria ou de colonato. Essa conformação econômica e populacional fez de São Paulo uma "província estrangeira".

Com a abolição da escravatura e o advento da República, o processo de europeização já havia avançado em São Paulo. Os africanos e seus descendentes foram marginalizados do mercado de trabalho ascendente que emergiu com a urbanização e industrialização paulista. Dessa maneira, abriram-se para os negros, na Velha República, segundo Florestan Fernandes (1978, p. 28),

> duas alternativas irremediáveis; vedado o caminho inequívoco da classificação econômica e social pela proletarização, restava-lhes aceitar a incorporação gradual à escória do operariado urbano, em crescimento, ou abater-se, penosamente, procurando no ócio dissimulado, na vagabundagem sistemática ou na criminalidade fortuita, meios para salvar as aparências e a dignidade de homem livre.

Tal situação exprime as condições de existência e a conformação sociocultural e político-econômica da população que ao longo de séculos constituiu o Sudeste. A história e os conflitos dessa região propiciam o surgimento e a difusão de piadas que fazem referência a negros e brancos.

Vale ressaltar, finalmente, que as piadas aqui arroladas foram agrupadas segundo suas "elocuções-chave". Assim, cada uma delas é interpretada em sua particularidade, retratando a realidade em suas múltiplas facetas, de modo que uma puxa outra descontraidamente, bem ao estilo e ao humor brasileiro. No entanto, ao fim de cada uma há uma interpretação para contextualizá-la na sociedade brasileira, estabelecendo dessa maneira os filtros socioculturais.

OS MITOS DE ORIGEM

Os mitos de origem das raças são contados com bastante detalhe nas piadas que aludem à gênese dos diferentes grupos presentes na sociedade brasileira. No tocante à relação entre brancos e negros, as piadas revelam elementos significativos que fundamentam o senso comum e a ridicularização.

Pois bem... Você conhece aquela?

* * *

> Um dia Deus reuniu todos os homens e resolveu recompensar a coragem de cada um. Sem mais explicações ordenou que cruzassem o rio. O mais ligeiro e que tinha mais fé rapidamente obedeceu à ordem de Deus,

> cruzando o rio a nado. Quando emergiu na outra margem, estava completamente branco e muito bonito.
>
> O segundo, quando viu o que tinha acontecido a seu irmão, também correu para as águas do rio, fazendo o mesmo que o outro havia feito. Mas a água já estava suja, e quando ele saiu na outra margem estava amarelo.
>
> O terceiro também queria mudar de cor, imitando seus dois irmãos. Mas a água já estava muito suja e, chegando à outra margem, notou com desgosto que era apenas mulato.
>
> O quarto era muito lento e preguiçoso; quando chegou ao rio, Deus já o tinha secado. Ele então molhou os pés e as mãos, pressionando-os contra o leito do rio. É por isso que o preto tem apenas as palmas das mãos e as solas dos pés brancas e é inferior aos outros.

A piada estrutura-se como um texto narrativo, encerrando com uma solução surpreendente, mas não se caracterizando clássica ou literalmente como tal, na medida em que traz uma resposta: "É por isso que o preto tem apenas as palmas das mãos e as solas dos pés brancos e é inferior aos outros".

A piada demonstra que o preconceito etnorracial é desenvolvido de várias formas, abarcando o mito da criação e a diferença fenotípica presente na população brasileira.

O aparecimento de Deus para recompensar a coragem dos homens, ordenando o cruzamento do rio, dá o tom e o enredo da piada. Deus tem o poder de dar ordens e recompensar os que têm fé; assim, aqueles que lhe obedecem sem nada questionar são recompensados.

O rio, nos universos cultural e religioso judeu e grego, simboliza a passagem da vida, da matéria ou do espírito. Heráclito associava as águas do rio e o seu movimento à dialética. Na visão teológica judaico-cristã, ele é o símbolo da passagem de uma vida à outra, de um estado a outro, isto é, o rio adquire o poder do sagrado e transubstancia a matéria humana, eternizando sua qualidade e pureza.

No imaginário judaico-cristão, a água tem simbologia marcante. Ela purifica, dá a vida e a identidade ao homem. No sacramento do batismo se asperge ou se mergulha o fiel ou o irmão nas águas, conferindo-lhe esses significados. Dessa forma, "o mais ligeiro, e que tinha mais fé, rapidamente obedeceu à ordem de Deus, cruzando o rio a nado. Quando emergiu na outra margem, estava completamente branco e muito bonito". Nesse fragmento da piada confirma-se que o mais ligeiro em provar sua obediência cruzou o rio e ganhou a recompensa, ficando "completamente branco e muito bonito". Fica claro que a estética de beleza euro-ocidental reside na cor branca da pele associada a outras características: nariz afilado, lábios finos, cabelos lisos, estatura elevada e postura retilínea. Os caracteres humanos que se distanciam desse modelo de beleza e de estética corporal são concebidos como feios e postos à margem do "projeto e Reino de Deus".

O segundo e o terceiro que atravessaram o rio foram movidos pela vontade de imitar o primeiro, sendo também recompensados. Porém, não obtiveram a mesma graça do pioneiro na travessia, ficando respectivamente amarelo e mulato. O desejo de ficar branco apareceu nos dois, que interpretaram a transformação da cor da pele como dádiva e milagre de Deus, indicando que a cor branca possibilita a melhoria das condições sociais e existenciais de vida. Essa relação fica patente no terceiro – que, depois de atravessar o rio, nota com desgosto ter ficado apenas mulato. Os três primeiros protagonistas da piada nadaram não somente pela recompensa, mas também pela sua fé, pois não se rebelaram contra a vontade divina, mas resignaram-se perante os desígnios do criador.

O quarto ser humano, "muito lento e preguiçoso", é tido como um sujeito indolente, vagabundo, tranquilo demais, não se preocupando com o branqueamento da pele nem objetivando melhorar de vida. Recoloca-se assim a questão da resignação, porém mesclada com a apatia e com a recusa, já que o sujeito não tinha o desejo de mudar de situação social, preferindo manter sua origem e identidade, aceitando ter apenas as mãos e os pés embranquecidos.

O romance *Macunaíma: o herói sem nenhum caráter*, de Mário de Andrade (1978, p. 48), recria esse "mito", contribuindo com a ideia de resignação e de sorte:

> No fundo do mato-virgem nasceu Macunaíma, herói de nossa gente. Era preto retinto e filho do medo da noite [...] O herói depois de muitos gritos por causa do frio da água entrou na cova e se lavou inteirinho. Mas a água era encantada porque aquele buraco na lapa era marca do pezão do Sumé. Porém, a água já estava muito suja da negrura do herói e por mais que Jiguê esfregasse feito maluco atirando água para todos os lados só conseguiu ficar da cor do bronze novo. Macunaíma teve dó e consolou:
> – Olhe, mano Jiguê, branco você não ficou não, porém pretume foi-se e antes fanhoso que sem nariz.
> Maanape então é que foi se lavar, mas Jiguê esborrifara toda a água encantada para fora da cova. Tinha só um bocado lá no fundo e Maanape conseguiu molhar só a palma dos pés e das mãos. Por isso ficou negro bem filho da tribo dos Tapanhumas. Só que as palmas das mãos e dos pés dele são vermelhas por terem se limpado na água santa. Macunaíma teve dó e consolou:
> – Não se avexe, mano Maanape, não se avexe não, mais sofreu nosso tio Judas!

Caracteriza-se o negro como um ser preguiçoso que permanece no primeiro estágio da evolução da humanidade. Esse tipo de mito atesta sua incapacidade para ações que requeiram desenvoltura tecnológica e uso sistemático da razão. Nega-se sua capacidade a fim de excluí-lo da competição engendrada pela ordem social e econômica capitalista.

A piada situa o negro como um ser que se assemelha aos primeiros hominídeos, aproximando-o dos primatas inferiores. Vislumbra-se subliminarmente a ideia dessa proximidade identitária porque os macacos, embora não nadem nem entrem na água, têm as *palmas das mãos e as solas dos pés brancas.*

Para sair da "animalidade", o negro necessita atravessar o rio e ser recompensado por Deus, isto é, se salvar, embranquecendo-se, incorporando-se ao projeto de Deus e adquirindo uma suposta semelhança com Ele.

Ao terminar com um desfecho vaticinador, a piada contribui para que se construa a imagem do negro como vagabundo, vadio, indolente, distanciado de Deus e de seus desígnios. Tais alusões também aparecem no universo cultural-religioso dos estados do Espírito Santo e de Minas Gerais, onde o negro surge como uma criação diabólica.

* * *

Deus, a fim de completar o trabalho de criação do mundo, fez o homem e a mulher e os colocou no Paraíso. Mas o Diabo, invejoso e ciumento, quando viu a obra concluída sugeriu que era capaz de fazer o mesmo prodígio. A fim de castigá-lo por tal audácia, ordenou-lhe Deus que fizesse outro homem.

Orgulhoso, o Diabo começou o trabalho, consciente do seu poder. Amassou o barro, imitando o que Deus fizera, e após horas e horas de trabalho completou uma linda estátua, igual à de Adão.

Soprou sua obra de arte a fim de dar-lhe movimento, mas ela continuava negra, mais negra que o barro original. Que desilusão! Pediu um prazo para melhorar a situação e resolveu levar seu homem à beira do rio. Tanto esfregou e lavou que o cabelo tornou-se encarapinhado – sem, no entanto, sua pele tornar-se mais clara. Horrível!

Deu-lhe um bofetão, um tremendo bofetão que atirou a figura ao chão, engrossando os lábios e achatando o nariz. Mais furioso que nunca, o infeliz artista levou sua figura negra para a praia e tentou afogá-la na água. Tinha de ser destruída! Mas a água recusou-se e o preto acabou de quatro, com as solas dos pés e as palmas das mãos na areia molhada.

Surpreso, o Diabo viu, então, sua criatura erguer-se. Despreocupada, alegre e feliz, com nariz chato, lábios grossos e cabelo encarapinhado, as solas dos pés e as palmas das mãos muito mais claras que o resto do corpo.

Essa versão da "origem das raças" enfatiza o descontentamento, o sadismo, a fúria e a impotência do Diabo contra sua suposta criação, que adquire o aspecto físico e estético do negro.

Embora mostre o negro como socialmente inferior ao branco, a piada retrata-o como biologicamente superior. Sua pele é grosseira e a sua cor é forte, sendo obra do Diabo, mas ele é capaz de executar trabalhos pesados que não requerem o uso de raciocínio. De acordo com essa visão distorcida da realidade, o negro é um animal de carga.

Revela-se, ainda, o maniqueísmo existente entre Deus e o Diabo, que influencia continuamente a vida humana. No nível estético, a piada revela que o Diabo "[...] após horas e horas de trabalho completou uma linda estátua, igual à de Adão. [...] mas ela continuava negra, mais negra que o barro original". Verifica-se que Adão, Lilith e Eva eram negros, originários do mesmo barro daquele que o Diabo usou. Insinua-se que o ser humano feito por Deus é negro, mas o modelo de beleza é o do branco – lábios finos, nariz afilado, cabelos lisos etc. –, enquanto o homem feito pelo Diabo é distorcido e feio por ter lábios grossos, nariz chato, cabelo encarapinhado. Daí o dito popular colhido por Carl Degler (1976, p. 130) no Nordeste brasileiro: "Negro não é humano. Deus nada tem a ver com ele e o negro nada tem a ver com os santos".

A piada reforça, ainda, a ideia de que o negro, mesmo tendo uma origem difícil e uma vida cheia de rejeição, continua a viver de forma "despreocupada, alegre e feliz". De um lado, ele é mostrado como um ser profundamente alienado de sua história; de outro, ele resiste, recusa-se a ser destruído, vencendo-o e à própria morte.

Esse tipo de piada ligado ao mito de origem evidencia a existência de uma hierarquização das pessoas com base no seu fenótipo, na densidade de melanina que portam no corpo. Tal hierarquização está calcada no evolucionismo: o africano deu origem à humanidade, mas foi superado pela evolução dos outros.

O evolucionismo teorizou a associação entre o ser humano e os antropoides comparando, em geral, o fenótipo do africano com o dos símios. Desse modo, também justificou o domínio dos europeus sobre os outros povos. Assim, as teorizações evolucionistas propiciaram a criação do chamamento ofensivo "macaco" em relação ao negro.

Como já vimos, o darwinismo social considerava o negro inferior ante os outros seres humanos. Na Inglaterra, essa teoria era defendida por homens como Charles White, um cirurgião de Manchester que dizia (Poliakov, 1974, p. 135): "Remontando pela gradação chegamos enfim ao europeu branco que, sendo o mais afastado da criação animal, pode por isso mesmo ser considerado o produto de sua potência intelectual".

No Brasil, essas ideias foram difundidas principalmente por Raimundo Nina Rodrigues, que chegou a medir crânios de negros e compará-los a outros crânios a fim de comprovar que o africano era inferior ao branco, seguindo as teses de Lombroso e de outros europeus.

Contrapondo-se a essas teorizações eurocêntricas, Joseph Ki-Zerbo (1982, p. 281) afirma que elas baseiam-se em pressupostos insuficientes e míticos,

> biologicamente, a cor da pele é um elemento negligenciável em relação ao conjunto do genoma. De acordo com Bentley Glass, não há mais de seis pares de genes pelos quais a raça branca difere da raça negra. Os brancos, frequentemente, diferem entre si num grande número de genes, o mesmo acontecendo com os negros. É por isso que a Unesco, depois de ter organizado uma conferência de especialistas internacionais, declarou: "A raça é menos um fenômeno biológico do que um mito social". Isso é tão verdadeiro que, na África do Sul, um japonês é considerado branco honorário e um chinês como homem de cor.

Ki-Zerbo (*op. cit.*, p. 283) ressalta que,

> quanto à cor da pele dos habitantes mais antigos do continente nas latitudes tropicais, vários autores pensam que ela deveria ser escura, pois

> a própria cor negra é uma adaptação protetora contra os raios nocivos, principalmente os ultravioleta. A pele clara e os olhos dos povos do norte seriam caracteres secundários ocasionados por mutação ou por pressão seletiva.

Quanto à origem do ser humano, hoje está comprovado que seu berço foi a África. Muito embora algumas piadas reforcem esse fato, enfatizam a versão de que os brancos receberam uma dádiva e uma compensação de Deus.

* * *

> – O que Deus disse quando fez o segundo preto?
>
> – "Ih... Queimou de novo!"

Essa piada expressa nitidamente a angústia e o desgosto de Deus diante dos negros. Deus não queria um homem "preto" ou "queimado". Ao exprimir a crença de que o "preto" foi um erro, uma falha de Deus, evidencia-se que esse ser supremo também comete suas falhas. Dessa maneira, ela contradiz o dogma cristão da onipotência de Deus, uma vez que este procura, quase obstinadamente, criar o branco; não conseguindo, impacienta-se.

Ao ressaltar que o "preto" é um ser indesejado por Deus, alude-se que na criação do mundo o branco foi favorecido em detrimento do negro. As piadas, assim, mostram que o ideal não é o crescimento da população negra. A esse respeito, Carl Degler (1976) registrou, no Nordeste, o seguinte dito popular: "Negro não nasce, aparece". Em Salvador (Bahia), cidade do país com o maior número de negros – 743,7 mil pessoas se declararam pretas ou pardas no Censo de 2010, segundo dados do IBGE, diz-se de modo correlato ao dito citado por Degler: "Baiano não nasce, estreia". Faz-se, assim, alusão ao fato de o baiano ser um artista, "uma estrela reluzente" no palco da vida, mesmo com todas as dificuldades.

Dois outros aspectos chamam a atenção nas piadas. O primeiro é a omissão dos indígenas na composição etnorracial do Brasil. Ao ignorar que eles foram os primeiros donos da *Terra Brasilis*, as piadas expressam que o indígena não é tema de preocupação, na medida em que existe a ideia tácita, em especial no Sudeste brasileiro, de que ele está em processo de extinção.

O segundo aspecto relevante é a demonstração de que ser branco é uma graça divina – com o que se busca encorajar, persuadir ou forçar os outros grupos etnorraciais a se aproximar do modelo e do universo branco.

Comparo essas piadas com outras que retratam o desejo intenso do contingente afro-brasileiro de melhorar suas condições de vida pela via do branqueamento e da fuga dos risos constatados nas interpretações que fazemos das obras de Bergson, Propp e Aristóteles.

* * *

As piadas em geral condenam a existência dos negros, mesmo eles sendo filhos ou irmãos de outra cor.

> A família de crioulos fica sabendo de um rio que faz que qualquer pessoa que o atravesse a nado fique branca na hora. Viajam dias até chegar ao tal rio. O primeiro que se aventura é o pai. Mergulha de cabeça, sai nadando e, ao chegar à outra margem, pum! Transforma-se num branco. De lá, grita para a mulher:
> – Vem, Dolores! Não há perigo!
> Ela mergulha, nada e, ao chegar do outro lado, zupt! Transforma-se numa branca.
> – Agora só falta o Ditinho. Vem, Ditinho, vem!
> O filho do casal mergulha e começa a nadar, mas, ao chegar ao meio do rio, a correnteza o pega de jeito e ele grita por socorro. O pai faz menção de pular na água para salvar o garoto, mas a mulher o detém:
> – Deixa, bem. É preto mesmo...

* * *

– Sabe como se salva um preto de um naufrágio?

– Não.

– Ótimo, um preto a menos.

Na visão de mundo do candomblé, em antigos mitos e histórias africanos, verifica-se uma perspectiva contrária à judaico-cristã no que diz respeito à origem das raças ou à quantidade de melanina que cada indivíduo traz no corpo, conforme informam Ganymédes José, em *Na terra dos orixás* (1988), e Carlos Lombardi, em *Oxalá* (1985).

Oxalá é considerado o criador dos homens e mulheres, sendo *Alamorere* – o "proprietário da boa argila", que às vezes se embebeda no álcool provindo da palma e modela seus filhos e filhas tornando-os seres "imperfeitos, deformados, aleijados e corcundas; outros são retirados do forno antes do barro estar bem cozido e, então, ficam pálidos. Esses são os albinos, que sempre devem adorar Oxalá" (Lombardi, 1985, p. 14-5).

Os mitos são bastante ilustrativos e falam por si sós. Porém, em outras versões se verifica que a perda da cor negra de Oxalá se deve à luta com Exu. Essa versão é contada por Pierre Verger em seu livro *Orixás*: Oxalá ataca várias vezes Exu, que consegue desvencilhar-se dos ataques com artifícios mágicos, até que Exu sopra uma fumaça branca, retirada de uma cabaça oriunda de sua cabeça, que envolve Oxalá e retira-lhe toda a cor. Diz o mito que é essa a cabaça que agora Oxalá "utiliza para transformar os seres humanos em albinos, fazendo assim os brancos, até hoje" (Verger, 2002, p. 75).

Esse mito desconsidera que os brancos só foram conhecidos muito depois de sua existência. Portanto, isso demonstra que ele foi refeito, ou seja, recriado com a nítida intenção de englobar os europeus no universo mitológico da gênesis nagô. A versão mitológica atualizada revela a disposição de integração do tempo histórico.

Aqui, a cor branca é encarada como uma "deficiência", não como dádiva de Deus. Isto é, o branco é o negro que não deu certo. Por isso podemos sentenciar, como fez Hamilton Cardoso em depoimento concedido em 1994[5]: "O branco é um negro de pouca tinta".

Guerreiro Ramos em (1954, p. 209-10) valida essa análise quando afirma que

> as divindades das nações e etnias africanas são negras. No século XIV, o geógrafo Ibn Batouta deplorava o desprezo pelos "brancos" que demonstravam os "negros" sudaneses. A mesma aversão se registra entre os índios pele-vermelha. Os bantos *não civilizados*[6], informa S. W. Molema, têm profunda aversão a toda pele diferente da sua. Os nativos da Melanésia, segundo Malinowski, acham os europeus horríveis. Certos canibais teriam repugnância pela carne do homem branco, eles as acham não amadurecidas ou salgadas e, conforme relatos de mais de um etnólogo, alguns povos africanos associam à pele branca a ideia de descoloração de um corpo que permaneceu muito tempo dentro da água.

Configura-se, assim, que é com base em sua cultura, religião, história e ideologia que o homem conceitua o "outro".

MACUMBEIROS E CRISTÃOS: AS CRUZES DA CAMINHADA

Neste tópico falarei da marginalização social de afro-brasileiros, aos quais se imputa a pecha de que, para sobreviver diante da pauperização e da discriminação dominantes, não hesitam em romper com as regras do mundo religioso de dimensão africana – e até mesmo cristã.

> – Quando negro come galinha?
>
> – Quando encontra um despacho.

5. Hamilton Cardoso é jornalista. Militante paulista do Movimento Negro dos anos 1980, fundou o Movimento Negro Unificado (MNU) na cidade de São Paulo.
6. Grifos meus.

Essa, como tantas outras piadas, estrutura-se sobre uma pergunta e uma resposta inusitadas em que se procura ridicularizar a situação socioeconômica do negro. Em especial, a piada explora o universo cultural e religioso de origem africana, mencionando um despacho que contém uma galinha.

A galinha, parte dos rituais do candomblé, está presente em alguns mitos nagôs que remontam à origem da Terra, das ilhas e dos continentes; segundo a lenda, ela teria originado a África[7].

A galinha é fundamental nos rituais de oferenda a alguns orixás, como Oxóssi. O chamado "despacho" é uma espécie de "obrigação" que o filho de santo tem de prestar a seu orixá, um ritual conhecido como "dar comida ao santo" a fim de buscar e manter a cumplicidade e, principalmente, a reciprocidade entre o filho e o santo, propiciando uma dinâmica constante e estável no universo cosmológico do candomblé. A presença de outros animais é frequente nos despachos, mas a galinha é a que mais se destaca. Vem daí o termo "frango de macumba".

Diante da discriminação que o negro e sua cultura religiosa sofrem na sociedade brasileira, é bastante comum encontrar despachos violados, seja por desconhecimento, seja por nítido repúdio a esses cultos, tratados como fetichistas e/ou animistas.

Ao dizer que "negro só come galinha quando encontra um despacho", a piada insinua que ele não tem condições financeiras de comprar uma galinha para alimentar-se, furtando a comida do santo para tal e violando esses cultos.

Todavia, para o "povo de santo", uma das finalidades da oferenda é a redistribuição da força vital e a realimentação da comunidade. A comida de santo não é exclusiva do santo nem de seu filho. Todos comem, independentemente de pertencerem ou não à comunidade de santo – ao contrário do que ocorre nas igrejas cristãs, onde somente "o feito na igreja", aquele que foi batizado e fez a primeira eucaristia, no caso da Igreja Católica, alimenta-se do "corpo de Cristo".

7. Para mais informações, consulte José, 1988, p. 12-4.

A ideia de que os despachos estão ligados a manifestações demoníacas, à "magia negra", é comum em igrejas cristãs de diferentes denominações, em especial nas de origem neopentecostal, que visam desvalorizar os cultos afro-brasileiros e conquistar mais fiéis – sejam eles brancos ou negros.

* * *

– Por que o preto gosta de ser crente?

– Para chamar o branco de irmão.

Essa piada relaciona o negro ao protestantismo, vinculando-o ao branco como seu irmão em Jesus Cristo. Ela reforça a ideia básica de que todos são filhos do mesmo pai (Deus).

Vale ressaltar que a chegada dos primeiros protestantes no Brasil data de meados do século XVI, quando os calvinistas franceses desembarcaram no Rio de Janeiro sob o comando do vice-almirante Nicolau Durand de Villegaignon. Cem anos depois, os protestantes holandeses exerceram grande influência religiosa por todo o litoral nordestino brasileiro.

No século XIX foi a vez de aportarem aqui os americanos oriundos do sul dos Estados Unidos. Eles interpretavam as sagradas escrituras de maneira ortodoxa, mas ficaram surpresos com a proximidade entre brancos e negros, posto que lá praticavam a segregação etnorracial – brancos e negros frequentavam, inclusive, igrejas separadas, enquanto no Brasil não havia essa separação formalmente constituída.

A partir da década de 1930, os mórmons se estabeleceram aqui, mas somente aumentaram em importância quando direcionaram ações missionárias para a população negra. Nas denominações presbiteriana, batista e metodista, a participação dos negros era permitida, embora não fosse realizado um trabalho sistematizado com essa população.

A conversão de negros ao protestantismo, no final do século XIX, decorreu da própria conversão de diversos brancos escravistas presentes no meio urbano, mas principalmente da aproximação de escravizados, forros e livres com o mundo protestante, cujo discurso parecia ser contrário à escravidão.

Em *Religiões africanas no Brasil* (1985), Bastide considerou que alguns negros livres da cidade sentiram-se atraídos pelo protestantismo porque tal credo propagava o ideal igualitário, marcado pelo liberalismo norte-americano e pelo discurso democrático. Além disso, o protestantismo brasileiro tinha um caráter iluminista, que propiciaria ao contingente afro condições de constituir as próprias igrejas, voltadas para o desenvolvimento de sociedades de socorro mútuo e para a introdução do gosto pelo trabalho, do senso de economia, da vontade de subir na escala social.

No século XIX, os protestantes não se colocaram frontalmente contra a escravidão nem contra a discriminação dos negros. Essas igrejas dissociavam teologicamente as questões sociais das espirituais.

No entanto, Regina Novaes (1985, p. 65) verifica que as igrejas protestantes têm em seu seio um arcabouço teológico de inspiração norte-americana que visa, entre outros fatores, ao embranquecimento da população negra. Ela ressalta o branqueamento a partir de uma dimensão sagrada, quando decodifica o código representacional e simbólico que diz:

> Cristo é luz, ele brilha. Mas nunca Cristo é trevas, negritude, certo? A alma é branca, tudo que é treva vai pro inferno, e no caso tudo que é luz vai para o céu. Toda a ideologia vai-se inculcando na cabeça das crianças. O Cristo é branco, o Cristo é louro, nunca ele é negro. É assim que as crianças são educadas [...] Quer coisa pior que o hinário de nossas igrejas? E de onde é fruto este hinário? Da Europa, dos Estados Unidos, de canções e valores de Martin Lutero. [...] E este é o preço que o negro que sobe nas igrejas paga, ele vai embranquecendo.

A mensagem da piada depreende que a presença negra no protestantismo dá-se pelo fato de que lá os negros são tratados com igualdade, o que lhes possibilita, em tese, uma ascensão social. Expressa-se, assim, a crença de que no seio das igrejas protestantes cristãs todos (brancos e negros) são tratados igualmente por participarem do "mesmo amor e da misericórdia de Deus", dessa maneira alienando-se das influências sociais.

* * *

– Sabe por que tem padre negro pra tudo que é lado?

– Por falta de emprego.

A piada relaciona os negros à Igreja Católica, mas cabe lembrar que estes só passaram a ser significativos no clero brasileiro a partir de meados de 1960 (Fonseca, 2000), quando do Concílio Vaticano II. Antes desse Concílio, o sacerdócio no Brasil era uma espécie de "aristocracia branca", exclusivista e fechada. A entrada de negros nas ordens religiosas acontecia bem moderadamente.

A abertura ocorrida na estrutura hierárquica da Igreja Católica propiciou aos negros participar mais dela, mesmo que não pudessem tornar-se padres e freiras, apenas irmãos e irmãs religiosos, professos ou leigos. As mulheres tornavam-se servas para serviços domésticos ou empregadas particulares dos conventos (Fonseca, 2000).

Em 22 de março de 1960, frei Hugo Fragoso endereçou um documento à Conferência dos Religiosos do Brasil (CRB), requerendo uma posição sobre o problema enfrentado por candidatos negros em sua admissão aos seminários e conventos em todo o país:

> Se procuramos sofismas tapeadores para esconder um erro que não temos coragem de confessar abertamente [...] Se os excluímos, não por serem eles negros, [...] então não existe problema algum: apliquem-se as leis gerais, válidas para louros, brancos, morenos, mestiços, mulatos, amarelos, vermelhos ou negros [...] Não! Nós não aceitamos tal candidato simplesmente por ser ele inidôneo, e não propriamente por ser ele negro.

> Há sinceridade nessa nossa afirmação? Sejamos francos e não nos iludamos, nem procuremos iludir os outros, nem muito menos tentemos iludir a Deus. Atrás de nossas objeções esconde-se (quase sempre inconscientemente) uma nota racista. Em última análise a razão derradeira por que barramos aos negros a entrada nos conventos e seminários é por serem eles negros. (Fragoso, 1998, p. 128)

Fragoso expõe com nitidez os argumentos que recolheu da "boca de reitores de seminários e padres encarregados das vocações" a fim de obstruir a entrada desses candidatos ou candidatas nos seminários ou conventos. Ei-las:

> 1) os negros não dão para a vida religiosa e sacerdotal; 2) os negros não dão para a vida de comunidade; 3) o negro é um complexado em face dos brancos; 4) o sacerdote negro teria seríssimas dificuldades no exercício do apostolado. O povo o menosprezaria; 5) o negro é muito sexual; 6) o negro não é perseverante; 7) o negro é tapado; 8) impede-se a entrada dos negros nos conventos e seminários para o próprio bem deles; 9) considerada a realidade como ela é, e não com utopias quiméricas, deve-se admitir a gente de "cor" apenas para o estado de irmãos leigos e de freiras conversas; 10) os negros serão aceitos, mesmo para o sacerdócio, mas sob a condição de irem trabalhar entre os negros da África; 11) o sacerdócio exige uma certa dignidade externa correspondente à sua posição. Que triste figura a de um negrinho vestido de padre! Que desprestígio para a posição de destaque que gozam as Ordens X ou Y no seio da Igreja e da sociedade!; 12) o negro foi amaldiçoado pelo próprio Deus, quando amaldiçoou na pessoa de Cam aos seus descendentes. [...]; 13) não negamos a igualdade de todos os homens perante Deus. Porém, um total igualitarismo é quimera. Tem de haver sempre na sociedade uma certa hierarquização, fundada já na própria desigualdade dos talentos de cada um; 14) já foi tentada a experiência das vocações negras e o resultado foi um fracasso; 15) o negro quando sobe a alguma posição de mando não há quem o possa suportar; 16) os negros seriam fonte de atritos e desarmonias nas comunidades, pois haveriam de ver fantasmas

> de desigualdades raciais a cada passo; 17) não se trata propriamente de negros ou de brancos. É que as famílias negras são ordinariamente desorganizadas, e em tais ambientes dificilmente pode surgir uma vocação; 18) o problema não é propriamente de cor ou de raça. Trata-se, na realidade, de categorias sociais cuja existência não podemos negar, e que devem ser tomadas em consideração!; 19) se é verdade que Deus escolhe a quem bem entende, é também verdade que Ele dá os requisitos a quem escolhe. E os negros não satisfazem os requisitos exigidos pelos representantes de Deus; 20) mas a própria Santa Sé insiste cada vez mais rigorosamente na exclusão de candidatos portadores de alguma tara; 21) esse termo racismo aplicado ao caso é um termo ferino, que ofende descaridosamente a tantos que com boa vontade procuram solucionar o problema. (Fragoso, 1998, p. 128-41)

O teólogo e padre Antonio Aparecido da Silva [padre Toninho, como era comumente chamado] (1986, p. 4) refere-se a esse assunto no jornal *O São Paulo*, veículo de informação da Arquidiocese de São Paulo: "os negros, parcela significativa dos fiéis, sempre calados e submissos, querem participar da manifestação de fé com suas características próprias, não prescindindo de sua cultura e lugar social".

No mesmo jornal, padre Toninho questiona a prática evangelizadora da Igreja Católica e sua posição sobre o racismo:

> tentar obstacular, em vão, que os negros se organizem e combatam a marginalização e o cativeiro dos quais ainda são vítimas, sob pretextos de zelo pela unidade da Igreja, nos parece uma atitude antievangélica de colocar-se ao lado do Faraó e de seus argumentos [...] Diante deste novo sinal do Reino que são os negros se encontrando, e é bom que se diga, não contra ninguém, mas a favor do negro e dos empobrecidos, a atitude não pode ser outra que não seja solidariedade [...] Com a mesma tonalidade das lentes que maniqueisticamente por todos os lados enxergam o vermelho, mesmo quando o movimento é negro, procura-se insinuar que o fato de os negros se organizarem no seio da sociedade e da Igreja

> causaria divisionismo. Por acaso a divisão concreta e real não ficou patente e, ainda hoje não superada, a partir do momento histórico de quase quinhentos anos atrás, quando alguns aqui chegaram como "senhores", donos de tudo, e milhares trazidos à força como escravos, reduzidos à mercadoria? (*Op. cit.*)

Segundo dados da Pastoral Afro-Brasileira da Conferência Nacional dos Bispos do Brasil (CNBB), em 2007, havia 434 bispos no Brasil, 12 deles afrodescendentes – o que representa apenas 2,5% do episcopado brasileiro. Os dados estatísticos fornecidos pelo Centro de Estatística Religiosa e Investigações Sociais (Ceris), órgão da CNBB, mostravam, também em 2007, que os estrangeiros representam 21% do total de bispos. Segundo a CNBB, nesse mesmo ano o país contava com 18.685 sacerdotes, dos quais 2.803 eram estrangeiros. Os negros representavam apenas 6,3% dos padres nascidos no Brasil. Entre os oito cardeais brasileiros à época, quatro tinham origem alemã e dois, italiana. Mas não havia nenhum negro no grupo.

A piada considera que o número significativo de padres negros na Igreja Católica dá-se pela fuga do desemprego estrutural e que nos seminários e nas igrejas eles encontram segurança, comida, roupa, lugar para dormir e estudar, bem como respeitabilidade. A piada alude, também, que ser padre não depende de um "estado de espírito", de uma vocação para atender ao "chamado de Deus", sendo uma ocupação ou atividade profissional como qualquer outra.

Porém, a piada não condiz com a realidade cristã dos negros ao longo da história e do processo de evangelização, posto que foram eles que deram vida ao catolicismo popular, repleto de procissões, orações e festas sagradas (Querino, 1988; Freyre, 1987) – muito embora sua vocação religiosa até hoje negada pela maioria das congregações e dos seminários diocesanos (Fonseca, 2000).

"HUMOR DE BRANCO"

A denominação dada a esse grupo de piadas baseia-se na exacerbação do ridículo descrito e analisado por Aristóteles, Bergson e Propp. Nele encontramos piadas que, além de ridicularizar, demonstram que essas expressões portam a violência que está presente no cotidiano.

> – Quando o preto sobe na vida?
>
> – Quando explode o barraco.[8]

O que se depreende da piada é que a ascensão do negro se dá pela "explosão do barraco", ou seja, quando ocorre uma tragédia, culminando com a sua morte. Ela exprime ainda o imaginário cristão, em que a morte é momento de ascensão, de subida ao céu.

A piada explora as condições desfavoráveis da moradia dos negros. Se, no passado escravista, eles foram habitantes das imundas senzalas, hoje uma parcela deles permanece "cidadão de segunda categoria" ou "meio cidadão", habitante de barracos das favelas, mocambos rurais, cortiços em áreas centrais ou das distantes periferias e subúrbios nas diversas cidades do país.

Desde o início da República, os empobrecidos e negros no Rio de Janeiro foram obrigados a deixar suas casas nas ruas próximas ao centro, abrigando-se nos subúrbios. Posteriormente, foram obrigados a subir os morros. A cidade do Rio de Janeiro, na década de 1920, tinha enormes favelas formadas. A cidade adaptou-se e conquistou seus espaços confinando nos morros a população pobre – sobretudo de ascendência africana e migrante – em nome da urbanização e da modernidade.

A política de urbanização das grandes cidades brasileiras tem como ponto comum a "expulsão" dos segmentos marginalizados

8. Piada similar a essa foi colhida em Florianópolis (SC), que teve processo de urbanização semelhante ao do da cidade do Rio de Janeiro. A piada dizia: "Branco subindo morro é alpinista, negro subindo morro está indo para casa".

e empobrecidos para a periferia; intenta-se com isso a higienização das cidades, "limpando" e "poupando" os segmentos abastados de possíveis contatos visuais, bem como de "problemas e sentimentos morais e de consciência" com a miséria social de amplos setores da sociedade. Ao afastar os empobrecidos e os negros do centro econômico e político, alocando-os nas distantes e violentas periferias, o Estado torna-os invisíveis e deixa-os à mercê da própria sorte.

A tentativa de culpar o negro pelo seu infortúnio é antiga em nossa sociedade, como também o fato de ele aparecer ou ascender estar ligado a duas modalidades de tragédias pessoais e coletivas: a violência das manchetes de jornais ou a perda da identidade.

* * *

> E o coitado do crioulo não tinha sossego na vida. Além de ser preto e pobre, ainda tinha de aguentar gozação de todo lado: "Ô, tizio, ô, macaco, ô, isso, ô, aquilo..."
>
> E, além de ser preto, pobre e gozado por todos, o desgraçado era feio que doía. Nem as neguinhas queriam saber dele.
>
> Aí, ele começa a sentir umas dores terríveis. Vai ao hospital (público, claro) e fica sabendo da última: além de preto, pobre, alvo de chacotas, feio e rejeitado pelas mulheres, o infeliz era também hemofílico.
>
> Essa era demais. Não chegava tudo, ainda a hemofilia[9]. Morando no Brasil, na certa ia acabar morrendo de Aids. Decidido a se suicidar, vai andando pela rua e encontra uma lâmpada mágica. Esfrega e sai o gênio:

9. Hemofilia é uma perturbação congênita que dificulta a coagulação do sangue. Ocorrendo qualquer ferida ou traumatismo, por muito pequeno que seja, dá origem a uma hemorragia prolongada. Assim, a hemofilia implica o risco de anemia e de uma grave diminuição do volume de sangue [...] resulta da deficiência num dos fatores do plasma sanguíneo que contribui para o processo de coagulação. Afeta quase exclusivamente os homens e resulta de um defeito genético que é transmitido apenas por linha feminina. Fonte: Miller, Benjamin F. *O livro da saúde – Enciclopédia médica familiar*. Lisboa: Reader's Digest, 1976, p. 638.

– Você tem direito a três pedidos, tizio!

Não deu outra, pediu tudo que tinha direito:

– Quero ser branco, ter bastante sangue e viver no meio das mulheres.

Shazan! O crioulo desaparece e, em seu lugar, o gênio faz surgir... um gigantesco absorvente.

O negro não tem sossego na sociedade brasileira, sendo molestado de diversas formas. É marginalizado e discriminado, mesmo com atitudes que aparentemente são inofensivas, como as gozações, mas o vinculam irremediavelmente à pobreza e ao animalismo. Sua condição social e sua feiura são colocadas como questões de dó, configurando-o como coitado, sendo inclusive evitado pelas mulheres de seu grupo etnorracial.

Para esse negro, ser hemofílico era a gota d'água, mas quando decide se suicidar encontra uma lâmpada mágica – era uma nova esperança para sua vida. Ao esfregá-la, como fez Aladim, libera o gênio da lâmpada, que também o discrimina animalizando-o, ao chamá-lo de "tizio" (pássaro preto).

A expressão do gênio mostra que nem os seres sobrenaturais, mágicos ou fabulosos estão imunes à discriminação e ao preconceito.

O pedido do negro tinha coerência e objetivos nítidos. Ao desejar ser branco, ele queria deixar de ser objeto de discriminação, elemento de riso e de ridicularização, não encontrando em si nenhuma positividade. Buscava, assim, uma felicidade que não conhecia sendo negro.

Ao querer ter bastante sangue, ele buscava curar-se de uma doença incurável – a hemofilia. Ao desejar viver no meio das mulheres, visava ser aceito, tendo inclusive um contato íntimo com elas, já que era bastante rejeitado por sua feiura.

Muito embora ele tenha feito um pedido, em sua ótica, coerente e com objetivos nítidos, o gênio o faz desaparecer e em seu lugar surge um gigantesco absorvente. Seu pedido foi equivocada e maldosamente compreendido. Ele, que vivera sempre sendo gozado, foi transformado em objeto descartável - de consumo - utilizado apenas no período menstrual.

A piada exprime a incapacidade do negro de ser feliz com suas condições sociais e psicoafetivas. Além disso, mesmo tendo encontrado um gênio - leia-se, um ser sobrenatural com poderes sobre-humanos -, não consegue mudar sua sorte. A piada transmite a ideia de que o negro está sempre a choramingar, desiste fácil das dificuldades, das lutas cotidianas, não reivindicando um espaço digno na sociedade e encontrando saídas no suicídio e na psicose. De modo que ele aparece na piada e para a sociedade como um ser impotente, sem condições de reverter uma situação adversa mesmo tendo um gênio ao seu lado. Enfim, o negro não aproveita as oportunidades que lhe surgem no dia a dia.

* * *

> Naquela esquina ficava um preto cego com uma plaquinha pendurada no pescoço, com os dizeres: "Sou cego. E tenho a impressão de que também sou preto".

O cego reforça seu azar por ser deficiente visual e, ainda, considera ter outra deficiência: é preto. Vemos que o processo de discriminação e estigmatização do negro e de outros segmentos sociais marginalizados no Brasil encerra condições de vida pautadas num destino inexoravelmente marcado pela infelicidade e pelo azar.

* * *

> – Quando o preto voa?
> – Quando cai da construção.

Essa piada remete aos acidentes de trabalho que ocorrem na construção civil, denunciando a falta de segurança existente nesse ramo de atividade. Segundo a Previdência Social, em 2008, foram 49 mil acidentes no setor, um número 70% maior que o total registrado em 2004. Já o estudo divulgado pelo Departamento Intersindical de Estatística e Estudos Socioeconômicos (Dieese) e pela Fundação Sistema Estadual de Análise de Dados (Seade), de São Paulo, em novembro de 2011, informa que "a inserção dos trabalhadores negros é proporcionalmente maior na construção civil, isto é, 8,8% do total de ocupados negros, ante 5% entre os demais" (Nuzzi, 2011).

Podemos inferir dessas informações que a maior parte dos acidentados na construção civil é composta de negros, uma vez que esse contingente é maioria na atividade profissional. Numa análise retrospectiva dessa realidade, vemos que, em 1994, 70% dos acidentados na construção civil eram negros, segundo o Centro de Estudos das Relações de Trabalho e Desigualdade (Ceert). A Fundação Seade também informava que o percentual de negros nesse setor de atividade era quase o dobro do número de brancos na Grande São Paulo, enquanto o rendimento médio dos brancos era 57% maior do que o dos negros em 1987. Assim, a piada expressa que há uma série histórica de presença majoritária dos negros na construção civil.

Na cidade de São Paulo, esses profissionais são chamados de "peões de obra", tendo de se equilibrar nos andaimes nem sempre fixos das construções como se estivessem sobre cavalos selvagens. Os "peões de obra", raras vezes, utilizam cintos de segurança e capacetes como proteção contra possíveis acidentes.

A alusão ao voo também se refere ao baixo poder aquisitivo da maioria da população negra e à sua dificuldade econômica em comprar passagens aéreas para viajar de avião. Esse é o transporte mais caro que há no país, sendo utilizado na maioria dos casos pela população branca da classe média e rica nacional. A ausência de negros em aeroportos brasileiros é um fato, mas sua presença, mesmo que episódica, tem causado diversas manifestações de preconceito. Outros segmentos populacionais, desacostumados a vê-los nesses ambientes, vêm expressando seu racismo de diferentes maneiras. Em 2009,

> a médica Ana Flávia Pinto Silva agrediu com as palavras "nego", "morto de fome" e "analfabeto" o funcionário da Gol em Sergipe, além de humilhar outros funcionários da companhia aérea por ter chegado atrasada para o check-in de um voo para a Argentina, onde passaria a lua de mel. Ela foi condenada em julho pelo Tribunal de Justiça de Sergipe a pagar R$ 10 mil de indenização ao funcionário da Gol.[10]

Outro exemplo é o que levou o senegalês Alain Pascal Kaly (2001, p. 105-6) a fazer o seguinte desabafo:

> Será que os tempos ainda não mudaram? Será que ainda hoje o preto deveria viajar nos porões dos meios de transporte, da forma como foram trazidos os seus antepassados acorrentados, para não se tornar suspeito de ser traficante e escapar às humilhações na hora do embarque? Por falta desses meios, por que não se discutir então a implantação de portas e/ou "elevadores de serviço" para viajantes pretos nos aeroportos brasileiros? Esse novo serviço não seria menos humilhante para o viajante preto do que ser retirado da fila diante de dezenas de outros passageiros? Passar pela porta especial, assim como pelo elevador de serviço, não seria menos traumático do que ser vítima de uma revista policial num aeroporto internacional brasileiro? E, como a grande maioria da população preta/negra do país usa ou é obrigada a usar diariamente nos prédios os elevadores de serviço, o que haveria de errado ou vergonhoso em passar pela porta ou pelo elevador de serviço num aeroporto internacional a fim de embarcar? Essas perguntas e tantas outras foram feitas depois de eu ter sido humilhado pelo fato de ser um viajante de uma das companhias aéreas "mais chiques" operando no Brasil.

10. Disponível em: <http://www.revistaafro.com.br/destaques/racismo-e-preconceito-persiste--em-aeroportos/>. Acesso em: 20 ago. 2010.

Infelizmente, os casos de preconceito deverão aumentar, pois o crescimento econômico da última década possibilitou que amplos setores da economia e diversos segmentos populacionais, incluindo os negros, tivessem mais acesso às viagens de avião. O acesso dos negros a ambientes hegemonizados pelos brancos dos estratos médios e ricos traz desconforto, discriminação e racismo. Essa questão deve ser pensada num momento em que o Brasil se prepara para a Copa das Confederações de Futebol (2013), a Copa do Mundo de Futebol (2014) e as Olimpíadas (2016), pois certamente receberemos negros de diversas nacionalidades e árabes.

* * *

– Quando o preto vai à escola?

– Quando está construindo.

A piada mostra que o negro dificilmente frequenta a escola para estudar. Vale frisar que essas dificuldades foram geradas ainda no período escravista e continuam a se refletir em nossos dias.

Durante a vigência da escravidão, os negros eram proibidos de frequentar a escola. Só para termos ideia, a Constituição do Brasil-Império e "independente" declarava que o ensino fundamental era obrigatório para todos os brasileiros, excetuando-se os portadores de doenças contagiosas, os não vacinados e os escravizados. Com essa medida constitucional o Estado Imperial comparava os escravizados com os portadores de doenças perigosas.

Isso bloqueava o acesso e a integração dos negros à sociedade pela via educacional, impedindo-os de enfrentar os novos desafios do mercado de trabalho assalariado e livre na virada do século XIX para o XX, bem como na mudança de regime político. Tal medida, como outras, impunha uma dependência em relação aos brancos e aos letrados. O recenseamento de 1872 revelava que num universo de 1.509.403 escravizados apenas 1.403 sabiam ler e escrever, ou seja, menos de 0,1% deles.

Atualmente, ainda existe uma parcela significativa de negros analfabetos, semialfabetizados e analfabetos funcionais em nosso país. Segundo dados do IBGE (2010, p. 227),

> a taxa de analfabetismo diminuiu na última década, passando de 13,3%, em 1999, para 9,7%, em 2009, para o total da população, o que representa ainda um contingente de 14,1 milhões de analfabetos. Apesar de avanços, tanto a população de cor preta quanto a de cor parda ainda têm o dobro da incidência de analfabetismo observado na população branca: 13,3% dos pretos e 13,4% dos pardos, contra 5,9% dos brancos, são analfabetos.

O número de analfabetos funcionais entre a população de pretos e pardos é maior do que o contingente de brancos no país. Ainda de acordo com o IBGE (*op. cit.*),

> a população de analfabetos funcionais no Brasil é de 29,5 milhões de pessoas. O analfabetismo funcional concerne mais fortemente aos pretos (25,4%) e aos pardos (25,7%) do que aos brancos (15%). São 2,7 milhões de pretos e 15,9 milhões de pardos que frequentaram escola, mas têm, de forma geral, dificuldade de exercer a plena cidadania através da compreensão de textos, indo além de uma rudimentar decodificação.

O analfabetismo resulta menos do interesse do negro em frequentar a escola do que da resistência ao branqueamento forjado pela política educacional, que busca introjetar valores alheios à sua condição social e de vida, tentando "embranquecê-lo", ou seja, homogeneizar seu comportamento, seus costumes e sua postura. Mesmo após a promulgação da Lei n. 10.639/03, que obrigou as escolas brasileiras a ministrar conteúdos sobre história e cultura africana e afro-brasileira, continua-se, por meio de piadas discriminatórias e ofensas dirigidas a negros, enquadrá-los ideologicamente nos padrões socioculturais branco-dominantes.

Essas "brincadeiras" pretensamente "inofensivas", levadas a cabo até por professores, levam as crianças negras a introjetar valores autodiscriminatórios. Constata-se, genericamente, que os profissionais da educação não admitem o direito à diferença e de alguma forma acionam mecanismos de fixação do modelo hegemônico da sociedade, punindo todos aqueles que se desviam dele.

A maioria dos estudantes negros e pobres começa a trabalhar muito cedo para ajudar a família, largando a escola ou fazendo o curso defasado, quase sempre no período noturno, sobrecarregando-se nessa dupla jornada de atividade. A realidade física, psicológica e econômica pesa sobre os ombros desse estudante que é, antes de tudo, trabalhador. Além disso, a escola não consegue ser competente na tarefa de ensinar ou distribuir bem o seu saber. Diante disso, se o índice de repetência é quase nulo diante das "aprovações automáticas" praticadas pelos sistemas educacionais do país, isso não quer dizer que a escola esteja cumprindo seus objetivos, mesmo porque cresce a cada dia o número de analfabetos funcionais no Brasil.

Segundo Gonçalves (1987, p. 28),

> a sociedade brasileira é marcada, de longa data, pela discriminação que penaliza a população negra e inferioriza sua produção cultural em relação ao chamado saber universal. Nada justifica a não existência, na escola, de mecanismos discriminatórios, exatamente pelo fato de ser uma das instituições responsáveis pela organização e transmissão da cultura.

Ainda hoje, em muitas instâncias, a educação escolar opera em nossa sociedade apoiada em duas lógicas complementares: a da existência das democracias social e etnorracial e a da valorização do branqueamento da população.

Muitos profissionais da educação acreditam na existência dessas democracias, posto que enxergam direitos e oportunidades iguais a todos na escola. Porém, a desinformação dos profissionais da educação a respeito dos negros e de sua cultura, acrescida de sua dificuldade de trabalhar com a diversidade, auxilia na incompreensão do patrimônio cultural dos afro-brasileiros no país. Isso favorece a difusão de preconceitos e racismo no interior das escolas públicas e privadas, bem como de chamamentos ofensivos e pejorativos, além do *bullying* de que também são vítimas.

Quando observamos os dados do Censo de 2010 (IBGE, 2010, p. 228), verificamos que nas últimas duas décadas houve mudanças significativas, mas a disparidade entre negros e brancos ainda é enorme:

> A população branca de 15 anos ou mais de idade tem, em média, 8,4 anos de estudo em 2009, enquanto pretos e pardos têm, igualmente, 6,7 anos. Em 2009, os patamares são superiores aos de 1999 para todos os grupos, mas o nível atingido tanto pela população de cor preta quanto pela de cor parda, com relação aos anos de estudo, é atualmente inferior àquele alcançado pelos brancos em 1999, que era, em média, 7 anos de estudos. A proporção de estudantes de 18 a 24 anos de idade que cursam o ensino superior também mostra uma situação em 2009 inferior para os pretos e para os pardos em relação à situação de brancos em 1999. Enquanto cerca de 2/3, ou 62,6%, dos estudantes brancos estão nesse nível de ensino em 2009, os dados mostram que há menos de 1/3 para os outros dois grupos: 28,2% dos pretos e 31,8% dos pardos. Em 1999, eram 33,4% de brancos, contra 7,5% de pretos e 8,0% de pardos. Em relação à população de 25 anos ou mais de idade com ensino superior concluído, a PNAD 2009 mostra que há um crescimento notório na proporção de pretos e de pardos graduados, com a ressalva de que o ponto de partida na comparação é 1999, com 2,3% tanto para pretos quanto para pardos. Isso posto, observa-se que a quantidade de pessoas que têm curso superior completo é hoje cerca de 1/3 em relação a brancos, ou seja: 4,7% de pretos e 5,3% de pardos contra 15,0% de brancos têm curso superior concluído nessa faixa etária.

Esses dados nos fornecem uma linha histórica do processo de inserção da população negra no sistema educacional brasileiro. Eles atestam a dificuldade de acesso dos negros ao ensino em decorrência da discriminação, que é muito grande, complexa e violenta; começando cedo, atinge os negros desde a infância. Além disso, boa parte dos profissionais da educação não considera a existência do racismo na escola nem na sociedade, interpretando os problemas que atingem a população negra como decorrentes das questões socioeconômicas, ou seja, da pobreza – sem, entretanto, perceber que a pobreza, segundo todos os dados estatísticos nacionais, tem cor.

A escola deve também ser um veículo para a superação da discriminação etnorracial na medida em que, auxiliada pelas entidades do movimento negro e respeitando as particularidades culturais dos afro-brasileiros, pode construir um projeto de cidadania, organizando e transmitindo conhecimentos, alterando práticas pedagógicas que punem as crianças desse segmento social.

Muitas escolas, particularmente depois da criação da Lei n. 10.639/2003, vêm tendo contato cada vez mais sistemático com as entidades do movimento negro, sobretudo para lidar com os preconceitos surgidos no interior dessas unidades de ensino. Porém, esse contato escola-entidade, na maioria dos casos, ainda é feito no dia 13 de Maio (Dia da Abolição da Escravatura) e no dia 20 de Novembro (Dia da Consciência Negra). Portanto, fazem-se necessários encontros mais sistemáticos ao longo do ano letivo e, fora dele, entre escola e entidades negras a fim de construir um currículo oficial e um paralelo, ambos associados aos interesses e ao respeito da comunidade estudantil.

Voltando à piada, ela informa que os negros, de modo geral, não participam da política educacional do país e não se veem atendidos em suas reivindicações de maneira plena. Não encontram na escola propostas efetivas e projetos de "educação diferenciada" que elevem sua autoestima e respeitem as diferenças culturais.

A piada reafirma e denuncia que os negros ainda não conseguiram construir sua cidadania, sendo tratados como marginais nas relações cotidianas. Existem, nesse sentido, diversos exemplos dessa situação nos ditos populares: "Negro correndo é ladrão, branco correndo é atleta"; "Preto quando está dirigindo ou é chofer ou o carro é roubado"; "Todo negro é marginal até provar em contrário"; "Negro parado é suspeito, correndo é ladrão, voando é urubu"; "Negro parado é vagabundo, andando é suspeito e correndo é ladrão".

Os processos de marginalização e criminalização dos negros na sociedade brasileira impõem práticas de submissão e de resistência que propiciam um cotidiano de enfrentamentos e tensões sociais. Dessa forma, as piadas retratam o universo racista e o preconceito brasileiro difundindo uma visão da violência cotidiana, ou seja, de que os negros são perigosos.

* * *

> Em um ônibus vão uma mãe branca com o filhinho no colo e uma mãe negra com o seu filho, lado a lado, no banco.
> O nenê branco fica com fome e começa a chorar, aí sua mãe abre a camisa, pega o seio e lhe dá de mamar. Ele mama, quando saciado abandona o seio da mãe. Antes que ele pegue no sono, a mãe dá uns tapinhas nas suas costas para ele arrotar. Ele arrota e dorme.
> O pequeno filho da mãe negra também fica com fome e começa a chorar, procedendo então da mesma forma que o "branquinho": puxa a camisa da mãe querendo mamar. Depois que o menino fica saciado, ela guarda o seio, fecha a camisa e começa a dar tapinhas nas costas do neguinho. Até que diz: "Arrota, meu filho. Arrota!"
> O neguinho, todo assustado, levanta incontinente as mãos para cima.

A piada insinua que a criança negra mamou porque teve inveja da branca, mas também faz menção ao senso comum que retrata o negro como um ser sob permanente suspeita por ser perigoso, indicando a sua condição marginal desde a mais tenra idade. A brincadeira entre "Arrota" e "a Rota" demonstra o processo de discriminação, marginalização e criminalização dos negros no país.

As Rondas Ostensivas Tobias de Aguiar, popularmente conhecidas como Rota, constituem o Batalhão de Choque da Polícia Militar do Estado de São Paulo. Famosa por ter cometido assassinatos e prisões arbitrárias na época da ditadura militar de 1964, nas décadas seguintes foi acusada de extermínio de inocentes[11].

A piada traz à tona as condições escravistas que, mesmo reformuladas pelo filtro do tempo histórico e pelas mudanças ocorridas nas relações sociais e econômicas desenvolvidas no país, não mudaram a perspectiva racista e classista segundo a qual um negro na rua só pode estar cometendo algo ilícito.

A piada expressa a relação existente entre os negros e a polícia. Uma forma de repressão que atinge esse contingente populacional manifesta-se pela exigência ou obrigatoriedade do uso das carteiras profissionais e de identidade. Esses documentos funcionam como passaporte. Sem eles, o trabalhador negro é, invariavelmente, detido nas rondas policiais que ocorrem nas diversas cidades do país.

Clóvis Moura (1988, p. 75) fala nestes termos do estereótipo da marginalidade vigente no Brasil:

> se os negros e demais segmentos não brancos estão na atual posição econômica, social e cultural a culpa é exclusivamente deles que não souberam aproveitar o grande leque de oportunidades que essa sociedade lhes deu. Com isto, identifica-se o crime e a marginalização com a população negra, transformando-se as populações não brancas em criminosos em potencial. Tem de andar com carteira profissional assinada, comportar-se bem nos lugares públicos, não reclamar dos seus direitos quando violados e, principalmente, encarar a polícia como um órgão de poder todo-

11. Para mais informações, veja Barcellos, 2003.

-poderoso que pode mandar um negro passar correndo ou jogá-lo em um camburão e eliminá-lo numa estrada. Afinal, "negro se mata primeiro para depois saber se é criminoso" – é um slogan dos órgãos de segurança.

No imaginário e na ideologia dos aparelhos coercitivos e repressivos da sociedade, cimentou-se a ideia de que o negro é vagabundo, vadio, ladrão. Portanto, até que se prove o contrário, ele é perigoso. A construção desse imaginário é parte da "síndrome do medo" que se abateu sobre a elite brasileira, no período escravista, em virtude das diversas revoltas e insurreições de africanos e seus descendentes. Esse medo deu-se, principalmente, depois da Revolta dos Malês, ocorrida em 1835 na Bahia.

As represálias contra os negros foram e são constantes. Os "capoeiras", por exemplo, sofreram bastante nas mãos da polícia, em decorrência de se defender dos abusos cometidos contra eles. Muitos, porém, foram contratados como capangas de políticos de projeção nacional no século XIX. Estimulados por esses políticos e pelas condições sociais, provocavam desordens no Rio de Janeiro – tanto que em 6 de fevereiro de 1822 foi editada uma portaria que impedia o jogo e a prática da capoeira nas ruas.

Porém, a história da escravidão no Brasil e em outros países atesta que os grandes roubados e, portanto, vítimas desse processo histórico-econômico e de expropriação do ser foram os negros, não os brancos. Tanto que a sabedoria negra dizia que

Baranco dize – preto fruta,
Preto fruta co rezão;
Sinhô baranco também fruta
Quando panha casião.

Ou ainda:

Nosso preto fruta garinha
Fruta saco de fuijão;

Sinhô baranco quando fruta
Fruta prata e patacão.

As quadras sugerem um comportamento corriqueiro de escravizados e escravistas, muito embora diferenciado: se os africanos e seus descendentes furtavam alimentos, os escravistas furtavam dinheiro. Os primeiros não só se apropriavam de uma pequena parcela da produção como se insurgiam contra a exploração de seu trabalho de diversas formas, inclusive utilizando-se de violência contra os escravistas e seus capatazes e feitores. Desse modo, ressalta-se o que disse Luiz Gama: "Todo escravo que mata o senhor, seja em que circunstância for, mata em legítima defesa", ou, ainda, como afirma Mattoso (1988, p. 103):

Branco diz que preto furta,
preto furta com razão:
sinhô branco também furta
quando faz a escravidão.

* * *

Quando preto não caga na entrada, caga na saída, e quando não caga na entrada nem na saída deixa um bilhetinho dizendo: "Cago depois".

A piada estrutura-se na forma de um provérbio e revela, além da marginalização, o descontentamento, o descompromisso e a recusa do afro-brasileiro em atender aos interesses hegemônicos da sociedade. Porém, essa postura não reflete o real comportamento desse contingente populacional no país.

Gilberto Freyre (1987, p. 428) inverte o discurso presente na piada demonstrando que os africanos e seus descendentes eram os pés e, sobretudo, as mãos dos brancos, quando diz que, com as mãos, faziam os "senhores se vestirem, se calçarem, se abotoarem, se limparem, se catarem, se lavarem, tirarem os bichos dos pés". Em ressonância com Freyre, Gilberto Gil compôs em 1988 a música "A mão da limpeza", em que mostra que o negro passou a vida limpando a sujeira do branco e mesmo assim teve de arcar com a piada de que se não suja na entrada o faz na saída.

Apesar dessas duas vozes dissonantes, o senso comum acredita que o negro porta uma sujeira inevitável e constitui verdadeiro infortúnio ao presente e ao futuro da sociedade brasileira. A piada contribui, assim, com o processo de exclusão do negro, pois suscita a ideia de que não se pode confiar num agente social que sempre fez e continuará fazendo algo contrário aos interesses hegemônicos. Subliminarmente, essa piada pode sugerir aos empresários que não contratem negros, sendo uma estratégia para excluir esse segmento do mercado formal de trabalho assalariado e competitivo.

Indica-se que o trabalho realizado por eles não tem qualidade. Também se associa essa piada à ideia de que os negros são preguiçosos e não gostam de trabalhar, como apontam os ditos populares: "Faça um trabalho de branco, não vá fazer negrice" ou "Segunda-feira é dia de branco".

Tais ditos não apenas estigmatizam os negros e os empobrecidos na sociedade brasileira como visam escamotear e distorcer, mas também justificar a situação de excluído desses contingentes do mercado de trabalho formal e remunerado. Eles procuram negar o trabalho desenvolvido no período escravista, em que os africanos e seus descendentes foram trabalhadores de segunda a segunda, com sol ou chuva.

* * *

Perguntam pro Akito:

– Você se considera racista, japonês?

– Non, de jeito nenhum. Pra mim, todo mundo igual!

– Tem certeza? Olha...

– Bom, pra falar a verdade, Akito non vai muito com cara de aremão, né?

– Por quê?

– Ah, porque prometeram acabar com judeus e fizeram serviço de preto, né?

A piada revela o preconceito em relação ao judeu e ao alemão manifesto pelo "japonês", mas a incidência desse preconceito centra-se nos negros quando salienta que os alemães "fizeram serviço de preto" na Segunda Guerra Mundial.

O antissemitismo está muito presente no Ocidente, mas não aprofundaremos essa discussão aqui, tampouco discutiremos a presença dos japoneses na sociedade brasileira. Por ora resta lembrar que a imigração europeia, que teve início em meados do século XIX, impulsionou o regime de trabalho assalariado e propiciou o desenvolvimento agrícola e industrial no eixo Sul-Sudeste do país. Essa imigração trazia aos segmentos dominantes a perspectiva do branqueamento, ou melhor, da europeização da sociedade pela via da aculturação e da miscigenação de homens e mulheres brancos e negros.

Em 1913, o então diplomata Manuel de Oliveira Lima proferia na Escola de Altos Estudos do Rio de Janeiro a intenção do governo a respeito de processo imigratório europeu:

> A imigração crescente dos povos de raça branca, a seleção sexual, o desaparecimento dos prejuízos de raça que cooperam para a extinção a breve trecho dos mestiços no Brasil, país que se tornará no futuro, e não em futuro longínquo, segundo tudo leva a crer, um viveiro branco e um foco da civilização latina. (Brookshaw, 1983, p. 54)

A intensificação da imigração europeia afastou os negros do mercado de trabalho antes mesmo da abolição oficial da escravatura. Esse afastamento lhes conferiu o estigma de vagabundos e de pessoas que faziam trabalhos sujos, mal elaborados e tecnicamente inferiores aos executados pelo imigrante europeu e asiático. Isso prejudicou ainda mais a sua imagem nas novas relações trabalhistas edificadas na República.

Nesse novo contexto sócio-histórico e econômico elaborou--se outro conceito, mais ameno, "paternalista" em certo sentido, mas revelador: "Ele é negro, mas é melhor do que muito branco". Indicava-se que nem todos os brancos eram bons e nem todos os negros maus, sobretudo quando se percebia que muitos imigrantes europeus, vinculados ao anarcossindicalismo, contrariavam a máxima nacionalista e positivista "Ordem e progresso", posto que reivindicavam a ampliação dos direitos e oportunidades sociais.

A frase embute a ideia de que alguns negros moldaram-se aos interesses dominantes, pois não tinham grandes reivindicações a fazer, a não ser a liberdade e a integração na sociedade de classes, enquanto os imigrantes faziam muita algazarra, eram desordeiros, propunham greves etc. Essa e outras piadas explicitam que negros e brancos – imigrantes ou nacionais – são seres humanos passíveis de erros e acertos.

* * *

– Por que o preto não erra?

– Porque errar é humano.

Ao afirmar que só os humanos erram, a piada destitui os negros de sua humanidade, equiparando-os aos animais, mas não se cogitando com isso dispô-los ao lado de Deus – mesmo que este supostamente também não erre.

Muitas são as piadas que enfatizam que os "pretos" fazem sempre algo de errado, contrário à lógica e aos interesses hegemônicos. Essa piada, como a anterior, afirma que os negros erram, sujam a sociedade, pois para eles só existe um caminho, uma forma e um método para dar cabo das operações mais variadas do dia a dia. Essa visão encerra uma perspectiva de intolerância e de desrespeito presente em uma sociedade que não aceita a diversidade e a multiculturalidade. O "fazer algo errado" também pode ser visto como um ato de protesto por parte dos negros, constituindo portanto uma forma de expressar indignação e desacordo com aquilo que é determinado pelos segmentos hegemônicos.

O protesto negro, muitas vezes, é acompanhado da ameaça "Tome cuidado, negão, pois a Lei Áurea foi assinada a lápis". Ou seja, se os negros não fizerem suas atividades cotidianas como os segmentos hegemônicos determinam nem permanecerem acomodados em uma posição submissa, podem ser castigados.

No ano do centenário da Abolição (1988), era comum ouvir piadas e ditos populares a respeito do fim da vigência da Lei Áurea. Dizia-se que ela era uma experiência dos brancos e da princesa Isabel para verificar se os africanos e seus descendentes, enfim livres, deixariam a "animalidade", assimilariam os padrões brancos e ascenderiam na sociedade. A experiência de abolição duraria 100 anos, portanto terminaria no dia 13 de maio de 1988. Tendo em vista a discriminação e a marginalização desse segmento, eles retornariam às praças e aos mercados, sendo novamente comercializados, voltando para o cativeiro.

As piadas e os ditos populares, como outras manifestações alusivas ao centenário da Abolição, acarretaram um aumento significativo da conscientização etnorracial. Muitos negros adquiriram certo nível de consciência sobre o fato quando este era alvo do riso e das brincadeiras inocentes dos brancos, que diziam: "Você será bem tratado, não será levado ao tronco, somente fará cafuné".

Além de denunciar a situação social do negro no país, as piadas expressam uma nostalgia da escravidão entre aqueles que se acostumaram a explorar e a expropriar, continuamente, amplos segmentos da sociedade nacional.

Segundo diversos estudiosos, o negro não alcançou plenamente sua liberdade, devendo para tanto fazer uma segunda abolição a fim de conquistar definitivamente a responsabilidade de agente de transformação social, deixando de ser objeto para ser o sujeito que constrói sua liberdade, e conquistando para si seus direitos sociais e individuais mais íntimos[12].

AS EXCEÇÕES E A REGRA

Algumas piadas abordam a existência de negros que fazem parte de uma exceção à regra: são médicos ou políticos com muito dinheiro e morando em mansões. Mas essa condição não os isenta de ser como os outros – estigmatizados. Tais piadas mostram que é equivocado o pensamento genérico de que no Brasil o "dinheiro embranquece".

Nesse particular, Carl Degler (1976, p. 116-17) relata a opinião de um informante em Recife: "Quando um preto atinge posição proeminente, ele põe um anel no dedo [o anel símbolo da profissão]. O negro será facilmente aceito; nesse caso, porém, não é o preto, mas o anel do preto que é aceito". Verifica-se que ter ascendência africana é um obstáculo; todavia, muitos deles não admitem a discriminação enfrentada no dia a dia, dizendo que não sofreram qualquer preconceito e que seu sucesso deveu-se ao seu esforço pessoal. Essa mobilidade social propicia a ascensão e a consequente melhoria de qualidade de vida de algumas exceções pertencentes ao contingente populacional negro.

> Naquela cidade do interior, havia um crioulo que era médico e político e tinha muita grana. Morava numa mansão.
>
> Certa vez, apareceu pichado num dos muros, recentemente pintado de branco: "Aqui mora um preto".
>
> O dotô nem se abalou. Mandou um dos empregados pichar embaixo da outra pichação: "Um preto que é rico".

12. É neste contexto que, passados cerca de 18 anos da defesa da dissertação que originou este livro, verificamos que houve diversas transformações na sociedade brasileira. Sobretudo, hoje os negros ocupam diversos lugares que não ocupavam na década de 1990, propiciando a implementação e o debate de políticas públicas, articuladas principalmente com as ações afirmativas no setor público e privado – em particular no mercado de trabalho, na saúde e na educação.

No dia seguinte, surgiu no muro uma terceira pichação: "Mas é um preto".

A piada salienta que até mesmo os negros ricos são objeto de discriminação, pois só há um lugar adequado a eles na sociedade brasileira: os estratos mais baixos na hierarquia representada pela pirâmide social. A piada alerta: o médico e político, embora seja rico, tenha muita grana e more numa mansão, é "um preto".

Millôr Fernandes exprimiu esse pensamento em entrevista concedida ao *Jornal do Brasil* na véspera da comemoração dos 80 anos da Abolição da Escravatura, em 12 de maio de 1968, quando disse: "Não há preconceito de cor no Brasil; o negro conhece o seu lugar". Conclui-se daí que, na tentativa de transpor esse lugar social, o negro encontrará enormes barreiras. Essa mesma alusão ao momento escravista pode ser depreendida neste início de século XXI, quando se luta pela inserção social de negros nas universidades públicas brasileiras e em empregos de mais prestígio.

A ideia subjacente é de que a democracia etnorracial brasileira só admite um lugar para o negro, o da base na pirâmide social; qualquer outro lugar mais acima ou no topo da pirâmide pode desencadear ameaças incontestáveis, demonstrando que não existem de fato nem a democracia nem a harmonia étnica apregoadas por Gilberto Freyre na sua interpretação luso-tropicalista. Só existe democracia para a elite se o negro permanecer passivamente no lugar hierárquico dos excluídos sociais, como exemplifica o dito popular: "Eu faço tudo para botá-lo na sala e você corre para a cozinha".

Depreende-se da piada a perspectiva de que os negros não podem estar no mesmo plano de igualdade dos brancos dos segmentos dominantes, em decorrência da competitividade entre eles nas altas esferas de decisão de poder, nas relações de trabalho, na produção e difusão cultural, engendrando uma luta pela hegemonia.

A piada ilustra que o pensamento da esquerda brasileira está equivocado ao considerar que o negro, à medida que participa das estruturas de poder socioeconômico, político e cultural, deixa de ser estigmatizado. Ela, ao contrário, exprime que o negro será discriminado em momentos conjunturais, quando os limites da tolerância branca já estiverem esgotados.

A piada reforça ainda a visão de que o preto, protagonista central da mensagem, não tem vergonha de descender de escravizados, não se esconde atrás de uma brancura efêmera, mas mantém viva sua origem com altivez e dignidade, quando manda escrever: "Um preto que é rico".

* * *

> Aquele preto educadíssimo candidatou-se a prefeito da cidadezinha e foi discursar no meio da praça central:
>
> – Meus caros conterrâneos, eu prometo...
>
> Nisso, alguém lá embaixo gritou:
>
> – Cala a boca, crioulo!
>
> E ele, com toda a dignidade:
>
> – Crioulo, sim, disse-o bem. Sou crioulo com orgulho, pois foram os crioulos, com seu braço forte, que deram início à agricultura em nossa terra.
>
> Mas, antes que terminasse a frase, veio outra lá do meio da massa:
>
> – Cala a boca, negro!
>
> – Negro, sim, sou negro com altivez, pois é do negro que vem a beleza da nossa música; a doçura da nossa raça...
>
> – Cala a boca, preto!
>
> – Preto, claro, perfeitamente – bradou com segurança. – Sou preto e, se não fossem os pretos, nós não seríamos tricampeões do mundo...
>
> O sujeito já ia retomar o discurso quando, lá de baixo, veio mais uma:
>
> – Cala a boca, tição.
>
> – Tição? – aí deu uma paradinha. – Tição... bem... tição? Ora, tição é a puta que te pariu!

A educação refinada do candidato a prefeito sugere alguém de formação humana, de grande caráter e humildade. Ele procura conquistar o mais alto grau da hierarquia política de um pequeno município do interior do Brasil e enfrenta diversas dificuldades em seu comício na praça central da cidade.

Vale salientar que a praça é o lugar onde circulam e se concentram as pessoas para conversar e fazer dali espaço de lazer, sendo também o espaço dos comícios. Em suma, a praça é histórica e culturalmente o lugar das manifestações públicas e da cidadania popular, desde a Ágora grega.

Quando o candidato diz "conterrâneos", busca demonstrar àquela gente que eles têm uma identidade comum, isto é, pertencem à mesma terra, têm uma origem que os unifica.

O desenrolar da piada é significativo quando mostra que a candidatura de um afro-brasileiro a prefeito deixa alguns cidadãos inconformados, dada a concepção que têm do lugar social que os negros devem ocupar na pirâmide social brasileira. Além de não aceitarem ficar "lá embaixo", "no meio da massa", enquanto o "crioulo", "negro", "preto" e "tição" está no alto do palanque, tendo o direito e o poder de falar, querendo dirigir os rumos da cidade, portanto da vida deles próprios.

Quando o candidato é chamado de "crioulo", reafirma com dignidade e orgulho sua condição de "negro nascido no Brasil", como tantos outros que, "com seu braço forte, deram início à agricultura no país". O candidato demonstra conhecer a história do Brasil, citando que a agricultura, inicialmente, foi realizada pelo trabalho da população negra escravizada. Essa atividade do primeiro setor da economia continua a ser a principal nas pequenas e médias cidades do país, sobretudo naquelas vinculadas ao agronegócio.

Quando é chamado de "negro", ele reafirma com altivez e tranquilidade sua identidade etnorracial, salientando que o afro-brasileiro é produtor de uma genuína cultura nacional, como a música – o samba –, que marca a "doçura da raça", a facilidade de adaptação, de superação das dificuldades, tendo alegria de viver.

Para Gilberto Freyre (1987, p. 462-63), entre outros fatores civilizatórios,

> foi ainda o negro quem animou a vida doméstica do brasileiro de sua maior alegria. [...] Seu contato só fez acentuar a melancolia portuguesa. A risada do negro é que quebrou toda essa "apagada e vil tristeza" em que foi abafando a vida nas casas-grandes. Ele que deu alegria aos são-joões de engenho; que animou os bumbas meu boi, os cavalos-marinhos, os carnavais, as festas de Reis. [...] Nos engenhos, tanto das plantações como dentro de casa, nos tanques de bater de roupa, nas cozinhas, lavando roupa, enxugando prato, fazendo doce, pilando café; nas cidades, carregando sacos de açúcar, pianos, sofás de jacarandá de ioiôs brancos – os negros trabalharam sempre cantando: seus cantos de trabalho, tanto quanto os de Xangô, os de festa, os de ninar menino pequeno, encheram de alegria africana a vida brasileira. Às vezes um pouco de banzo: mas principalmente de alegria.

Quando o candidato é chamado de preto, ele se enche de confiança e brada com segurança: "Sou preto e, senão fossem os pretos, nós não seríamos tricampeões do mundo", aludindo, sobretudo, à participação de Pelé nas copas do mundo de 1958, 1962 e 1970, quando foi considerado o maior jogador de futebol de todos os tempos, o rei do futebol e o maior atleta do século. Dessa maneira, o candidato insinua que a maior participação de negros na seleção brasileira foi de suma importância para a conquista dos campeonatos mundiais de futebol, fato que voltou a acontecer nas copas de 1994 e 2002, com a participação de Romário, Rivaldo, Ronaldinho Fenômeno, Ronaldinho Gaúcho, Cafu e Roberto Carlos como os grandes destaques dessas seleções.

Tal visão foi corroborada pelo ex-presidente da Federação de Futebol, José Eduardo Farah, em entrevista concedida à Rádio Jovem Pan no dia 11 de setembro de 1993, quando deu sua opinião sobre os convocados para a seleção da copa de 1994: "O que falta na seleção brasileira de futebol são três ou quatro crioulos para dar alegria, movimento e versatilidade, tais como Romário e Dener".

A propósito da presença de negros em nosso futebol, Telê Santana, técnico bicampeão mundial pelo São Paulo Futebol

Clube e por duas vezes técnico da seleção brasileira, em tom bastante conciliador e descrente da existência do racismo no futebol, disse em 1993 em entrevista ao jornal *Brasil Agora*:

> a verdade é que nossa classe pobre é mais de negros, e o negro está mais no futebol desde que começa a crescer. O futebol na rua, o futebol em qualquer parte em que ele estiver... Ele tem sempre uma bola de meia para jogar, então há mais facilidade de aparecer um jogador negro, mas pode coincidir que numa seleção tenha mais jogadores claros. Não que haja racismo.

A julgar por essa afirmação, o futebol brasileiro carece de fato da presença de negros, tanto por sua criatividade e versatilidade como por sua capacidade de dominar a bola e fazer gols. Muito embora Telê Santana tenha dito que não há racismo no futebol, os fatos expressos pela mídia nacional e internacional recentemente demonstram que o racismo está presente desde os primórdios do futebol brasileiro. Joel Rufino dos Santos (1981) aborda essa questão ao analisar a história sociocultural do futebol nacional, particularmente o processo de branqueamento ocorrido nessa atividade esportiva.

O final da piada é bastante ilustrativo do clima de antagonismo e irritação que surge entre o candidato e aqueles que interrompiam o seu comício. Até que o xingam de tição: o termo faz referência a um pedaço de lenha acesa ou meio queimada, designando popularmente o negro vestido de preto.

Os termos "crioulo", "negro", "preto" são encarados pelo candidato com orgulho, altivez e segurança, aludindo que ele tem certa identificação com esses chamamentos, comumente utilizados na sociedade para se referir aos negros. Porém, quando ele é chamado de "tição", percebe que a palavra não representa nada para si nem para seu grupo etnorracial, constituindo uma ofensa. Ele responde de forma também ofensiva com um violento palavrão, deixando de lado a polidez e a postura de homem bem-educado, mas mantendo sua dignidade e altivez.

A piada reflete com muita eloquência a discriminação que sofrem os negros que se candidatam a cargos políticos, em especial quando se trata de um cargo executivo. Vale salientar que o Poder Executivo tem profundo apelo popular entre nós. Espera-se muito do chefe do Executivo, inclusive que seja sagaz, branco e homem.

Nesse sentido, há alguns exemplos flagrantes de discriminação contra esses postulantes ao Executivo de municípios e estados do país. Wagner do Nascimento, quando candidato a prefeito de Uberaba (MG), foi estigmatizado pelos partidos de oposição com o seguinte jargão: "Uberaba não poderia ter à sua frente um fuscão preto". Thereza Santos, liderança do movimento negro, quando se candidatou a deputada estadual, ouviu que "lugar de negra é na cozinha da madame". Ela não era candidata ao Executivo, mas negra e mulher; na visão machista e preconceituosa, não deveria fazer parte do "mundo dos homens brancos" – o das decisões políticas. Albuíno Azeredo, governador do Espírito Santo (1991-1995), declarou que a oposição liderada pelo seu adversário na campanha eleitoral, o senador José Ignácio Ferreira (ex-líder do governo Collor), usava um trocadilho infame: "Não votem em Albuíno, senão a situação vai ficar preta no Espírito Santo". O ex-prefeito de São Paulo Celso Pitta era chamado de "Sombra" pela equipe de marketing de sua campanha à prefeitura de São Paulo em 1996. Esses exemplos mostram que a sociedade brasileira reservou aos negros o lugar do anonimato, do silêncio, da invisibilidade, da massa amorfa.

* * *

A candidata Benedita da Silva havia disparado nas pesquisas de intenção de voto segundo os institutos de pesquisa, deixando perplexos os candidatos à prefeitura do Rio de Janeiro. César Maia e Cidinha Campos, o primeiro do PFL e a segunda do PDT, convocaram uma reunião urgente com suas assessorias e pediram que elas descobrissem como, onde e por que Benê estava com tanta vantagem nas intenções de voto.

As assessorias dos dois partidos, ao seguir todos os passos da candidata, constataram que ela estava fazendo campanha no zoológico. Voltaram e explicaram que a Benê estava dando comida aos animais, demonstrando à população que ela era uma pessoa boa, que gostava dos bichos, era humilde e tinha senso ecológico.

Os candidatos, numa verdadeira estratégia de contra-ataque, foram para o zoológico fazer basicamente a mesma coisa que a Benê, ou seja, dar comida aos animais. Quando foram alimentar o macaco, no entanto, notaram que ele não comia o que eles lhe davam e perguntaram:

– Por que você não come a nossa comida?

Ele olhou firme para ambos e disse:

– Não é a mamãe! Não é a mamãe![13]

Essa piada alude ao personagem Babyssauro, da *Família Dinossauro*, comédia que era transmitida em 1993 pela Rede Globo. Ela insinua que a candidata em questão poderia ser confundida com a mãe de um macaco preso no zoológico da cidade do Rio de Janeiro.

Os casos citados aqui exemplificam a rejeição a esses candidatos por uma parcela significativa da população. Às vezes, os próprios partidos enfrentam crises internas por conta disso.

A ainda rara presença de negros nas instituições nacionais não decorre da falta de sua capacidade intelectual, mas da discriminação existente nas esferas de poder que impossibilita a concorrência nos ambientes de decisão.

Nesse quesito, vale relembrar a declaração de Fernando Henrique Cardoso, então candidato à presidência da República, dada em 1994: ele disse "ter o pé na cozinha", aludindo jocosamente à sua ascendência africana. Intelectuais negros e estudiosos consideraram essa atitude demagoga. Já a população e os partidos

13. A piada foi unificada, pois havia duas versões similares, uma correspondendo ao primeiro turno e a outra ao segundo turno das eleições, citando Cidinha Campos e César Maia, respectivamente.

de sustentação do candidato, que nunca o tinham visto como cidadão afro-brasileiro, receberam a informação estupefatos.

Por último, lembremos que Edson Arantes do Nascimento, o Pelé, quando ministro extraordinário dos Esportes do governo Fernando Henrique Cardoso, declarou que "negro tem de votar em negro", trazendo novas polêmicas em torno do voto étnico. Ressalto que essa questão é cara à sociedade e aos políticos brasileiros de modo geral, mas sobretudo aos de tez clara. Afinal, se os representantes do parlamento e do Executivo se pautassem pelos anseios da maioria negra da população, muita coisa mudaria na sociedade.

Diante do debate sobre ações afirmativas no país, desde o final da década de 1990 tem se discutido a obrigatoriedade de um percentual de negros nos partidos políticos, inclusive em projetos de lei propostos pelos senadores Paulo Paim e José Sarney. Esse desejo de participação de negros no cenário político brasileiro foi aguçado sobretudo depois que Barack Obama foi eleito, em 2008, o primeiro presidente negro dos Estados Unidos. Vale salientar que Obama é por si só fruto das políticas de ações afirmativas nos Estados Unidos, em particular da aprovação da Lei de Direitos Civis (1964) e da Lei de Direito ao Voto (1965).

A eleição de Obama aponta o avanço da sociedade americana no sentido de suprimir o racismo nos Estados Unidos. No Brasil, as piadas que analisamos anteriormente mostram que a sociedade brasileira continua com dificuldade de admitir a possibilidade de ser conduzida por um político negro. Com raras exceções, acredita-se que ele vá fazer algo de errado, alguma "negrice", prejudicando a todos. Além disso, o modelo de beleza e inteligência introjetado pela população é o do branco ocidental.

Enfim, as instituições representativas da sociedade civil, como os partidos políticos, por exemplo, não são ilhas de democracia. Elas espelham e reproduzem de forma aguda e crônica as relações sociais e suas mais perversas distorções – entre as quais as etnorraciais.

MALANDRAGEM, MITO E CUMPLICIDADE

A malandragem e o jeitinho são práticas corriqueiras no cotidiano brasileiro, favorecendo a aliança e a exploração sociais.

> O mudo fica sabendo de uma escola que, segundo anúncio, faz mudos falarem. Ele corre para lá e é atendido por uma mocinha, que pergunta se ele quer falar. Ele faz que sim com a cabeça. Ela o encaminha para uma sala e o deixa a sós com um baita negão. O maguila manda ele tirar a roupa e deitar de bruços na cama. Ele se espanta. O negão pergunta:
>
> – Cê não quer falar? Então tira a roupa e deita, pô!
>
> O mudinho obedece. O crioulo vem por trás e crau!, manda ver...
>
> O mudinho grita:
>
> – Ah!!!
>
> E o negão:
>
> – Muito bem, pode vestir a roupa e voltar amanhã pra aprender a letra B.

A piada relaciona dois estigmatizados, o negro e o mudo. O primeiro pela cor, o segundo pela deficiência no aparelho fonador; imputa-se a ambos o fato de serem portadores de anomalias físico-sociais. No entanto, a piada estabelece a distância entre os dois, visto que o negro se aproveita do mudo e o estupra.

Além disso, está implícito o estereótipo de que, para sobreviver, o negro utiliza-se de meios ilícitos ou de subterfúgios, sendo um malandro que transita pela sociedade vendendo aparências. O chiste também pode ser associado ao pensamento popular e cristão: "Há males que vêm para bem", "Todo milagre exige certa dose de sacrifício" ou, ainda, "Remédio bom é remédio amargo", refletindo que a cura do "mudinho" deveria ser precedida de sacrifícios.

Ao tratar, genericamente, o "crioulo" como "baita negão", "maguila", revela-se o mito de que o negro tem um pênis descomunal, sendo um verdadeiro animal sexual que rompe e dilacera o ânus e/ou vagina dos indivíduos que com ele se relacionam sexualmente. Esse mito possibilita a criação de inúmeras fantasias eróticas em relação aos negros.

* * *

> A jovem esposa pula o muro e manda ver com o vizinho, um crioulo 2 × 2. Engravida e fica arquitetando um plano para justificar tal gravidez ao marido, um pacato loirinho de olhos azuis.
>
> Certa noite, acorda pedindo:
>
> – Benhê, eu quero comer um urubu.
>
> Arma um tremendo fuzuê, até que o maridinho resolve sair para procurar o objeto do desejo da esposa. Evidentemente, não obtém sucesso na busca. E assim sucessivas vezes, até que nasce o mulatinho e ela se desculpa com a história de que foi o desejo não atendido que provocou aquilo. O sujeitinho se mostra compreensivo:
>
> – Tudo bem, querida. É nosso filho e nós o amamos.
>
> Quando a mãe do cara vem visitar o neto, dá de cara com o tiziozinho e ouve do filho a estapafúrdia história.
>
> – Ah! Isso acontece, meu filho. Quando você estava em minha barriga, senti vontade de comer um touro; seu pai não conseguiu trazer e aí nasceu você, chifrudo desse jeito.

A piada expõe a traição da jovem esposa com outro homem, porém também explora as características do marido traído – "um pacato loirinho de olhos azuis" –, sugerindo que os homens pacatos e de baixa estatura podem ser "chifrados" pela esposa, principalmente se ela for jovem e, supõe-se, carregada de verdadeiro furor sexual.

Claudia Fonseca (1992, p. 316-19) afirma:

> o homem cuja mulher não respeitou o pacto sofre uma sanção social impossível de atenuar: o estigma de ser guampudo[14] [...] Existe um provérbio: "Cavalo amarrado também pasta". A expressão é frequentemente usada por mulheres casadas para evocar a liberdade sexual da mulher casada [...] O homem cuja mulher rompe o pacto tem que sofrer em

14. Expressão típica do Rio Grande do Sul que significa "corno", marido traído.

> silêncio, pois qualquer reação dele seria assumir publicamente o status humilhante de guampudo.

A piada baseia-se numa perspectiva machista, segundo a qual homens delicados e tranquilos podem se tornar "chifrudos", sobretudo quando sua mulher encontra um mais forte, "um brutamontes cheio de virilidade", um "crioulo 2 × 2".

Merece destaque nessa análise o pensamento de Frantz Fanon (1983) acerca desse tema. Para o autor, existe um imaginário que precisa ser desvelado, posto que as brancas que esboçam um movimento de fuga, de retraimento, de confusão em presença de negros estabelecem uma parceria sexual putativa, enquanto o branco que tem aversão a estes denotam uma homossexualidade recalcada.

Fanon entende que o imaginário e o psiquismo social branco percebem algo de "genital" nos negros – uma suposta potência sexual oriunda, talvez, de sua vida livre nas selvas africanas, um quase animal, que poderia inundar e transformar o universo europeu num universo mestiço. O branco teme que o negro portador dessa suposta potência contamine as brancas.

O imaginário social consolidou esse pensamento do branco, erotizando de forma singular o africano e seus descendentes, como pode ser constatado na expressão "um atleta negro", que equivale a dizer "um garanhão negro". Nas palavras de Fanon (1983, p. 131-2):

> Um atleta negro nos confiava que uma jovem mulher era algo que o excita. Uma prostituta nos dizia que a ideia de dormir com um negro levava-a ao orgasmo. Ela os procurava, evitando pedir-lhes dinheiro. Mas, acrescentava, "dormir com eles não era mais extraordinário do que com os brancos. Chegava ao orgasmo antes do ato. Pensava (imaginava) tudo o que eles me poderiam fazer: era isto que era formidável".

O negro, nesse contexto, é tornado um símbolo fálico por excelência. Fanon comenta outro caso ilustrativo desse "medo e atração genitais" das mulheres brancas:

> Conhecemos um negro, estudante de medicina, que não se atrevia fazer um toque genital nas doentes que vinham se consultar no serviço de ginecologia. Um dia confessou-nos ter ouvido esta reflexão de uma cliente: "Há um negro lá dentro. Se ele me tocar, dou-lhe uma bofetada. Com eles, não se sabe nunca. Ele deve ter mãos grandes e depois é certamente brutal".

Para Fanon, a negrofobia está baseada nos planos instintivo e biológico, pois é pelo corpo que o negro incomoda o esquema prometeico do branco. Ele surge como um agente social que está em oposição ao universo físico e cultural do branco. O negro é identificado pela corporeidade, que simboliza o perigo. O perigo judeu – intelectual e econômico – é substituído pelo medo da virilidade do negro.

A clássica, mas sempre eficaz, pergunta "Você deixaria sua filha se casar com um preto?" denota não só preconceito e racismo, mas também a relação e os sentimentos incestuosos entre pai e filha, manifestando a "falsa reação de defesa do corpo da menina". O negro, nesse sentido, é visto imaginariamente pelo "pai como um ser que introduzirá sua filha num universo sexual desconhecido, enigmático e mágico, do qual ele não tem a chave, mesmo sendo um homem" (Fanon, 1983, p. 138).

No Brasil, também o branco fixou psiquicamente o africano e seus descendentes no biológico, no genital, na força bruta, tornou-o um animal passível de cometer estupros. Fanon, nesse particular, afirma: "quem diz estupro geralmente diz ou pensa em negro" (*op. cit.*). O afro-brasileiro é representado como perigo biológico-cultural nessa análise psiquiátrica, portanto patológica, apresentada pelo autor.

Fanon entende que nas situações íntimas entre o negro e a branca tem-se a nítida percepção de que ele desaparece, torna-se um membro viril, vira um pênis, daí os termos: "negão 2 × 2", "crioulão", "um baita negão". Ele acredita que o negro é imaginado sem nenhuma imparcialidade ou indiferença pela branca, acarretando horror ou desejo.

O imaginário coletivo considera que o negro possui um pênis enorme, mas as pesquisas demonstram o contrário, ou seja, que o comprimento médio do pênis do africano é 12 centímetros.[15] Porém, tais pesquisas não convencem ninguém. Diz Fanon (1983, p. 140) que "o branco é persuadido a crer que o negro é um animal; se não é o comprimento do pênis, é a potência sexual que o atinge", o que o incomoda profundamente. Ele tem necessidade de se defender desse outro – que é o suporte de suas mais íntimas preocupações, mas também de seus desejos inconfessos.

De Pedrals, citado por Fanon, contribui para o mesmo imaginário ao reforçar a tese de que o ato sexual é natural para o africano, pois é extensão de suas necessidades fisiológicas, além do fato de ele assistir a coitos durante boa parte de sua infância com a mesma naturalidade de que quando vê pessoas comendo, bebendo ou dormindo. Ele dispõe o ato sexual como algo cultural e mecanicamente estruturado pelo desejo físico, destituído de sentimentos de amor, de laços de confiabilidade e de cumplicidade.

Na perspectiva freyreana, esse imaginário de potência sexual é parte do universo do escravista, que não tinha nenhuma atividade que demandasse esforço físico, posto que sua vida era

> alagada de preocupações sexuais [...] No senhor branco o corpo quase se tornou exclusivamente o *membrum virile*. Mãos de mulher; pés de menino; só o sexo arrogantemente viril. Em contraste com os negros - tantos deles gigantes enormes, mas de pirocas de menino pequeno. (Freyre, 1987, p. 429)

No período escravista, acreditava-se que os órgãos sexuais muito desenvolvidos dos homens indicavam superioridade na capacidade procriadora. Essa perspectiva regulava os casamentos entre brancos e encarecia os negros escravizados nos mercados negreiros.

Fanon (1983, p. 145) diz ainda que,

15. Recentes pesquisas no Brasil sobre esse tema apontam medidas idênticas no caso dos negros brasileiros.

> para a maioria dos brancos, o negro representa o instinto sexual acima das morais e das interdições. As brancas, por uma verdadeira indução, sempre percebem o negro na entrada impalpável do reino dos sabás, das bacanais, das sensações sexuais alucinantes [...] Há homens, por exemplo, que frequentam "castelos" para serem chicoteados por negros, homossexuais que exigem parceiros negros.

* * *

> O negão vai traçar a bicha pela primeira vez. Esta o adverte:
>
> – Toma cuidado que é apertadinho.
>
> – Que apertado, nada, sua bicha velha!
>
> – Ah, você duvida, bofe? Então enfia um dedo.
>
> O negão enfia. A bicha prossegue:
>
> – Outro. Agora outro. Enfia a mão inteira. Coloca a outra mão junto. Agora, bate palma.
>
> – Não dá, pô!
>
> – Viu, bofe? Eu não disse que era apertadinho?

O desejo satisfeito pelo homossexual é também analisado por Fanon (1983) a respeito da mulher. Ele considera que, ao viver a fantasia do estupro por um negro, a mulher realiza um sonho pessoal, um desejo íntimo: ela se autoviola. Isso é constatável quando, durante o coito, ela diz: "Maltrate-me", "Rasgue-me ao meio" etc.

Não devemos ignorar que "o ciúme racial incita os crimes de racismo: para muitos homens brancos, o negro é, justamente, esta espada maravilhosa que, transfixando suas mulheres, as transfiguram para sempre" (Etiemble *apud* Fanon, 1983, p. 141).

Voltemos à piada da jovem esposa que engana seu "maridinho" com um subterfúgio bastante utilizado pelas mulheres quando por "acidente" ficam grávidas de outros homens. Ela utiliza do desejo frenético de "comer urubu" para ludibriar o marido. A mãe deste diz, com a intenção de adverti-lo, que usou do mesmo artifício para enganar o seu pai: quis "comer um touro".

A piada expressa que nem todo branco é esperto e inteligente, podendo ser ludibriado por um negro e por sua mulher. Ela exprime a identificação e a cumplicidade entre esses dois marginalizados sociais, dando origem, nesse processo, ao "mulatinho".

* * *

Outra ideia vigente a respeito do negro explorada nas piadas é a do bem-humorado, "tirador de sarro", brincalhão, que goza de todos.

> Manoel chegou ao hotel do Joaquim e pediu um quarto. Não tinha nenhum quarto vago, mas o Joaquim arrumou pro conterrâneo uma vaga ao lado de um crioulo, que dormia sozinho no quarto. O Manoel pediu pro Joaquim acordá-lo bem cedinho. No meio da madrugada, o negão acordou e resolveu tirar uma da cara do portuga: pegou uma lata de tinta preta e derramou seu conteúdo na cara do Manoel. De manhãzinha, acordado pelo Joaquim, o Manoel foi ao banheiro, olhou-se no espelho e exclamou:
>
> – Raios que me partam! O Joaquim acordou o crioulo em vez de me acordar!

Ao derramar tinta preta na cara do português, o negro tenta, "tirando um sarro", travar um clima amigável entre os dois, buscando extrovertidamente construir um laço de sociabilidade e identidade com o Manoel, seu parceiro de quarto.

A tinta preta, em contraste com a cor da pele do Manoel, forjou uma máscara, que o confundiu. Não se reconhecendo embaixo dela, Manoel chegou a pensar que era outro. Esse engano, ou melhor, essa falta de identidade do protagonista consigo mesmo, comprova a existência do estigma criado pelos brasileiros de que os lusos são portadores de uma burrice extrema, sendo enganados historicamente pelos negros.

Essa ideia é, em geral, difundida por sátiras e piadas. Procura-se com isso consolidar a visão de que os portugueses são também culpados pelos infortúnios históricos do Brasil – creditando-se a eles, subliminarmente, e ao africano o atraso econômico, cultural e social do país. Diz Lívia Barbosa (1992, p. 72) que "a nossa ancestralidade é manuseada de forma bastante negativa. [...] ninguém se orgulha de descender de português: 'Também, de português só podia dar nisso', dizem muitos brasileiros".

Esse raciocínio nos leva a considerar que o nosso sentimento de inferioridade como povo é maior que nós, daí o fato de não darmos trégua ao negro nem ao português. Produzimos e reproduzimos piadas contra os lusos com a intenção de superar esse passado.

4
Cor/po (in)visível e risível

Minha última prece:
Oh! Corpo, faça de mim um
Homem que questione
Sempre.
Frantz Fanon

Neste capítulo, procurarei interpretar mais a fundo questões candentes e vigorosas que aparecem ao longo deste livro. A piada não é uma história inocente, inventada como um passatempo lúdico, que constrói aparentemente e de forma descompromissada uma "conversa social".

Constatei a presença esmagadora de piadas que reproduzem o pensamento hegemônico, difundindo mensagens que ridicularizam o negro, mas também denunciam sua situação e a dos demais segmentos excluídos em nosso país. Verifiquei também que a existência de piadas que ridicularizam o "branco nacional" é diminuta – pelo menos na região Sudeste, onde fiz a pesquisa.

As piadas exprimem, paradoxalmente, a recusa e o desejo de construção das democracias etnorracial e social quando enfatizam a discriminação, a marginalização etc. do negro. Com perspicácia e sutileza, elas salientam que o branco também tem seus defeitos, suas anomalias, sendo um ser passível de riso e de ridicularização.

Ao mesmo tempo, as mensagens preconceituosas apresentadas nas piadas constituem bens simbólicos que, incutindo o "ideal branco" ou da brancura, processam uma violência ao conjunto cor/corpo que nega esse poderoso fetiche.

A fim de desenvolver a contento o capítulo, julgo necessário fazer algumas incisões no conjunto cor/corpo negro, pois a maioria das piadas a ele se refere. Analisar com maior acuidade o preconceito do branco e o desejo dos negros é o próximo desafio.

A COR ANUNCIADA E O SER ANÔNIMO

É comum, nas piadas, não encontrar os nomes dos protagonistas. Neste estudo não foi diferente. A piada tem a intenção de generalizar, de homogeneizar pessoas e grupos por meio de termos jocosos, pejorativos, que identificam indivíduos e segmentos sociais.

No elenco de piadas que levantei em relação aos negros e aos brancos somente encontrei o nome em uma delas, ou melhor, o apelido do protagonista: Ditinho. Mesmo assim, percebe-se que esse apelido generaliza a população negra, que dá o nome de Benedito, seu santo protetor, aos filhos. A devoção a esse santo negro é típica do contingente negro em nosso país.

A subtração do nome dos negros é também um reflexo do período escravista, em que os africanos e seus descendentes perdiam a alcunha original e adquiriam outra, cristã e portuguesa, após o obrigatório batismo. Eles perdiam, dessa maneira, sua referência étnica. Todavia, alguns conseguiam manter parcialmente essa referência identificatória, tais como: Manoel Congo, Maria Benguela, Rosa Courana.

O aportuguesamento do nome dos africanos e de seus descendentes, estruturado de maneira violenta e compulsória, contribuiu, assim, com os processos de desenraizamento identitário e despersonalização, posto que seus nomes de origem foram substituídos por outros alheios, sem qualquer significado histórico-cultural mais profundo. Menciono o fato porque, nas sociedades africanas, o nome está vinculado às raízes sociorreligiosas, sendo gerador de força vital e dinamizando o ser e seu grupo. No nome a sociedade imprime a sua marca, abrindo a porta ao neófito para que entre num novo universo sociocultural e místico, individualizando a sua ligação com o cosmo (Vogel, 1993).

Dessa forma, nas piadas, nem mesmo o nome cristão e português do negro aparece. Ele é chamado genérica e pejorativamente de preto, negão, crioulo. Esse expediente destitui o negro de humanidade e identidade, tornando-o uma massa informe, sem quaisquer diferenças ou peculiaridades, isto é, sem subjetividade.

A própria legislação abolicionista diferenciava o homem escravizado do livre. Segundo a compreensão daquele momento, os homens livres eram obrigados a arrumar emprego, como determinava o parágrafo 17 do artigo 3.º da Lei n. 3.270, de 1885, destinada a regulamentar a "extinção gradual do elemento servil".

A diferenciação entre um e outro estava baseada não somente no *status* adquirido, mas nas obrigações que deveriam cumprir com a sociedade. O escravizado tinha um destino traçado pelo escravista, não era nada – nem dono de si –, enquanto o livre deveria traçá-lo e arcar com seus deveres sociais.

Octávio Ianni (1988, p. 218) considera que "o negro é o escravo transfigurado pela reintegração de camadas assimétricas. À custa de ser inferior, semovente, objeto de determinações dos brancos, indivíduo sem pessoa, o sistema escravocrata transformou o cativo em negro". Na República, essa noção era mantida como uma das heranças das relações escravistas, cristalizando em grande parte uma assimetria que instituía uma "linha de cor" invisível, mas seccionava etnorracial e socialmente homens e mulheres.

Os próprios negros, geralmente forros ou livres, discriminavam-se entre si, buscando uma aproximação identitária com os brancos. Dividindo-se entre pardos, mulatos e crioulos, não se identificavam com o termo "negro", vinculado à escravidão e a atributos negativos – fatores que deveriam ser rejeitados e esquecidos.

É elucidativa a afirmação de Ianni (1988, p. 218) quando diz:

> No esforço de se classificarem socialmente, os libertos em geral procuravam afastar-se dos escravos, bem como distinguiam-se, entre si, pelas nuanças da cor. Mais claro significa socialmente mais branco, isto é, menos próximo da casta dos cativos, dos africanos, dos inferiores. Daí

> a segmentação dos indivíduos da comunidade em negro, pardo-escuro, pardo-claro, caboclo, carijó, branco ou outras expressões de nítida conotação social.

Esse seccionamento foi bastante incentivado pelos escravistas, que se baseavam na antiga lógica de "dividir para governar". Oliveira Vianna, nesse particular, informa em *Populações meridionais do Brasil* (1987) que o mameluco se fez o grande inimigo do índio, enquanto o mulato desdenhou e evitou o negro. Já o branco menosprezou a todos, pois se considerava superior.

Essas categorias e designações criadas com base nos ideais do branqueamento não estão associadas à identidade étnica. Antes, fazem referência à fuga do estigma da cor, que representava a suposta inferioridade biológica e social. Assim, os termos "pessoa de cor" ou "homem de cor" suavizavam e camuflavam a cor negra que parecia designar uma ofensa, uma patologia, um pecado. Sendo, portanto, educadamente negada, permanecendo interdita, manifesta somente nos conflitos. Vemos assim o falso moralismo nacional, no que diz respeito às relações etnorraciais.

É Ianni (1988, p. 232-3) quem diz:

> Passar por branco é um processo ativo no comportamento do negro e do mulato, revelando as avaliações negativas da cor como fenótipo de negro, tanto para o branco como para aqueles. Isto é, dá-se a seleção da cor como um produto social necessário das condições de ajustamento inter-racial, geradas no seio da ordem escravocrata e preservadas após. A cor transforma-se em um elemento imprescindível das situações de contato social, orientando o ajustamento recíproco, por intermédio da atuação de expectativas de comportamento elaboradas em termos das significações atribuídas àquela marca.

O termo "preto", ainda segundo Florestan Fernandes (1978, p. 219), "permitia selecionar a cor como marca racial para distinguir, a um tempo, um estoque racial e uma categoria social em situação societária ambígua, para não dizer francamente marginal".

Na República, o termo "negro" era associado a "marginal", "malandro" etc. A população negra se livrou da escravidão mas adquiriu o *status* de cidadã de segunda categoria, de meio cidadã, carregada de deveres, mas sem muitos direitos.

Em *Os sentidos da cor e as impurezas do nome: os termos atribuídos à população de origem africana*, Ilka B. Leite (1988, p. 8) também evidencia que a designação "negra" implica a origem negada, a identidade – quer pessoal, social, racial ou étnica esquecida, camuflada. Essa designação apenas adjetiva os afro-brasileiros, pois "o 'negro', na ordem simbólica da cultura brasileira, não descende de um clã, uma tribo ou nação: ele é uma cor".

No Brasil, a cor hierarquiza, define relações de poder e prestígio. No recenseamento de 1980, Clóvis Moura (1988) analisou, por meio das 136 cores de pele autodeclaradas pelos entrevistados, como os descendentes de africanos "fugiam" da cor da pele. Ele comprovou que a cor criava obstáculos sociais graves, estruturava diferenças e hierarquias, inferiorizava, de tal forma que eles criavam uma "realidade simbólica" em que se refugiavam, tentando escapar do estigma da cor imposto pelo branqueamento do país.

A ascensão social no Brasil não destitui o negro de sua cor da pele, mas pode gerar um branqueamento efêmero que será destruído quando o poder e o prestígio branco ficarem em perigo, colocando o negro em seu "devido lugar", lembrando-o de sua condição de subserviência ao branco. As piadas são provas do frágil código de etiquetas que impõe um relativo silêncio à cor.

A cor da pele tem designado pejorativamente a população negra. Essa prática age como estratégia de dominação e de ridicularização dessa população não só pelas perdas de referencial étnico e de pertinência nacional, mas também pelo fetiche da brancura predominante entre nós.

O afro-brasileiro foi transformado em cor no país e a tem utilizado, a despeito de sua fragilidade, como fator principal de construção e de consolidação da identidade etnorracial. Suas marcas étnicas, hoje, estão diluídas em virtude da miscigenação, mas fundamentalmente pela força do fetiche da brancura, pela violência político-econômica e religiosa que o transformaram em ser ignorante e alheio aos nomes e termos estruturantes de seu eu histórico, cultural e psíquico calcado no passado africano.

NEGRA ATITUDE DE SER

Meu objetivo é refletir sobre o conjunto cor/corpo dos negros no intuito de denunciar a homogeneização, a tentativa de enquadramento do corpo destes pelo sistema vigente. As piadas, aqui, mostram como o corpo tem se tornado objeto do riso e da ridicularização, portanto da marginalização e da discriminação. O objetivo é padronizar a conduta e o comportamento dos negros no país, aproximando-os, sempre que possível, de pensamentos e práticas geradoras da positividade do branco.

A sistemática negação e desvalorização do negro e de sua produção cultural, material e simbólica é parte do projeto de construção de um Estado-Nação forte e coeso, formado com base em uma perspectiva eminentemente branco-europeia.

Na República, o negro é visto com suspeita; almeja-se o seu adestramento a fim de que se ajuste às novas necessidades produtivas da sociedade capitalista. O disciplinamento do seu corpo, como da imensa parcela da população nacional, obedece aos ditames propostos pela Revolução Industrial e pelo cartesianismo europeu-ocidental.

Nesse particular, Michel Foucault (1991, p. 127) informa que

> o momento histórico das disciplinas é o momento em que nasce uma arte do corpo humano, que visa não unicamente o aumento de suas habilidades, nem tampouco aprofundar sua sujeição, mas a formação de uma relação que no mesmo mecanismo o torna tanto mais obediente quanto

> é mais útil, e inversamente. Forma-se então uma política das coerções que são um trabalho sobre o corpo, uma manipulação calculada de seus elementos, de seus gestos, de seus comportamentos. O corpo humano entra numa maquinaria de poder que o esquadrinha, o desarticula e o recompõe. [...] A disciplina fabrica assim corpos submissos e exercitados, corpos dóceis. A disciplina aumenta as forças do corpo (em termos econômicos de utilidade) e diminui essas mesmas forças (em termos políticos de obediência).

O negro é acometido por diversos clichês estigmatizantes dos grupos hegemônicos que visam metamorfoseá-lo, embranquecer sua tez e sua alma. A piada, nesse contexto, opera também como expressão de correção do corpo e do comportamento. Segundo José C. Rodrigues (1983, p. 62):

> o corpo porta em si a marca da vida social, expressando a preocupação de toda a sociedade em fazer imprimir nele, fisicamente, determinadas transformações que escolhe de um repertório cujos limites virtuais não se podem definir. Se considerarmos todas as modelações que sofre, constataremos que o corpo é pouco mais que uma massa de modelagem à qual a sociedade imprime formas segundo suas próprias disposições: formas nas quais a sociedade projeta a fisionomia do seu próprio espírito.

O corpo tem sua base na biologia e na cultura. Assim, ele é biossociocultural. É no corpo do negro que se imprime a marca do racismo. Discrimina-se o negro pela sua cor, pelo seu jeito de andar, de se vestir, de cantar, de dançar, de viver sua sexualidade e sensualidade, de praticar sua religiosidade e espiritualidade, de desenvolver o seu trabalho etc.

A noção do corpo no campo religioso cristão tem raízes profundas no pensamento de Platão, marcado pelo dualismo corpo-alma. O primeiro é considerado cativeiro (prisão e túmulo) da segunda. Sócrates também compartilhava dessa ideia dissociadora do corpo e da alma. No pensamento socrático, o corpo é obstáculo à investigação da verdade pelas potencialidades de sedução que porta, sendo uma espécie de tirano da alma.

Calcada nesse raciocínio, a Igreja Católica procurou desenvolver, no período escravista, uma ação que "salvaguardasse" o espírito do africano submetido à condição de coisa; pelo batismo ele era considerado cristão, mas sofria rígidos castigos corporais que visavam "educar e redimir seus espíritos mergulhados numa estrutura física carregada congenitamente de pecado" (Vainfas, 1986, p. 25).

Ao contrário dessa visão dualista e dicotômica, na filosofia e na cosmologia africanas, particularmente banto e iorubá, não existe dissociação entre corpo e alma. Ambos têm uma conformação única e indivisível que impulsiona a existência humana ao seu devir cósmico e histórico-cultural.

No candomblé, por exemplo, tal dualismo também não existe. Segundo essa tradição religiosa, o corpo representa

> um polo ou centro de forças opostas que devem estar e ser unidas numa relação de equilíbrio das diversas partes do corpo, bem como da coerência estabelecida entre o mundo natural e o sobrenatural. Pode-se até mesmo dizer que a pessoa humana nestes cultos é concebida à semelhança e imagem do seu ambiente sociorreligioso e não apenas construída à imagem de seu Criador. (Barros e Teixeira, 1989, p. 115-16)

O corpo é, assim, mediador, receptor e emissor de um saber e de um poder impressos pela sua herança genética e pelo seu legado histórico-cultural. Saber e poder são inscritos e perpetuados nessa "massa de modelar" que instaura uma memória – a corporal. O corpo negro é um depósito de informações, de acúmulo de memória, em que sua forma de estar no mundo propicia que outros formulem conceitos e preconceitos, estereótipos etc. Ele porta a memória ancestral, mas também se ressente dos estigmas do cativeiro. Assim, transforma-se num veículo de consciência etnorracial, pois se associa à dinâmica e à resistência sociocultural e às necessidades provindas de um cotidiano adverso e hostil.

Esse poder que emana do corpo é um dos aspectos da negritude ou da *negra atitude de ser que percebem, sentem e concebem o universo com base em seu processo histórico-cultural edificado pela visão de mundo*. Tal postura questiona o racionalismo de Descartes, postulado no "penso, logo existo", e alinha-se com o pensamento de Merleau-Ponty (*apud* Medina, 1990, p. 56): "Eu sou meu corpo, portanto existo, logo penso".

O negro, em suma, vive solto em seu movimento, seduzido pela memória corporal manifesta na gestualidade, carregada de ginga e de leveza. Assim, cria-se, consciente ou inconscientemente, a liberdade e não a clausura do corpo desses homens e mulheres.

OS FETICHES DA BRANCURA E DA NEGRURA

Além das reflexões mencionadas, não há como esquivar-se dos interesses não ditos, subliminares, que as piadas não revelam abertamente.

Os referenciais humorísticos de Aristóteles, Propp, Bakhtin e Bergson aguçam e direcionam a análise para a denúncia do preconceito, portanto para a ausência de democracia social e de igualdade etnorracial no país.

A piada, ao difundir preconceitos, demonstra uma das facetas do racismo à brasileira quando exprime de maneira suave, sutil e irreverente a visão hegemônica do grupo que dita normas e regras de conduta, bem como quando impõe um fenótipo à sociedade. A piada e seu riso revelam, mais do que o desejo de correção social dos "virtuais desviantes", o projeto sociocultural do segmento dominante.

A difusão formal e informal da doutrina do branqueamento deve-se à enorme distância existente entre a população que compõe a sociedade nacional e o projeto dos segmentos hegemônicos. É mediante esse descompasso entre sonho e realidade que as piadas entre brancos e negros se fundamentam no Brasil. Assim, cabe indagar: ter a pele mais clara significa ser branco? Por que o negro de maneira geral não produz nem reproduz piadas que ridicularizam o "branco nacional"?

Como vimos, o "branco nacional" percebe-se como portador da cultura, da psicologia e do patrimônio genético dos africanos, mas nega isso a todo custo. Nas palavras de Jaime Pinsky (1993, p. 107),

> o olhar branco e majoritário que lançamos pela História não perdoa nada. Apresentamo-nos como povo branco que, no máximo, recebeu algumas contribuições de outras raças, como ensina a maioria de nossos manuais escolares. Segundo um deles, devemos (devemos quem, cara pálida?) aos índios a mandioca, a rede e a queimada (numa dessas, a agressão ao meio ambiente acaba virando coisa de índio...), e aos negros, alguns temperos, músicas e crendices. Somos, na visão reproduzida na maioria das escolas, brancos que absorvem aspectos pitorescos das outras raças. Percebemos índios e negros com rancor (quando os acusamos de tingir nossa brancura) ou no mínimo com desprezo, superiores que somos.

Talvez a mais expressiva denúncia desse movimento de negação das origens africanas por parte do branco nacional tenha sido realizada, no século XIX, pelo poeta e político abolicionista Luiz Gama nos dois poemas reproduzidos a seguir.

QUEM SOU EU?

Se negro sou, ou sou bode,
pouco importa. O que isto pode?
Bodes há de toda a casta,
pois que a espécie é muito vasta...
Há cinzentos, há rajados,
baios, pampas e malhados,
bodes negros, bodes brancos,
e sejamos todos francos,
uns plebeus, e outros nobres,
bodes ricos, bodes pobres,
bodes sábios, importantes,

e também alguns tratantes...
Aqui, nesta boa terra,
marram todos, tudo berra;
nobres condes e duquesas,
ricas damas e marquesas,
deputados, senadores,
gentis-homens, veadores;
belas damas emproadas,
de nobreza empantufadas;
repimpados principotes,
orgulhosos fidalgotes,
frades, bispos, cardeais,
fanfarrões imperiais,
gentes pobres, nobres gentes,
em todos há meus parentes.
[...]
Entre a brava militança
fulge e brilha alta bodança;
guardas, cabos, furriéis,
brigadeiros, coronéis,
destemidos marechais,
rutilantes generais,
capitães de mar e guerra,
– tudo marra, tudo berra!
Na suprema eternidade,
onde habita a Divindade,
bodes há santificados,
que por nós são adorados.
Entre o coro dos anjinhos
também há muitos bodinhos.
Pois, se todos têm rabicho,
para que tanto capricho?
[...]

SORTIMENTO DE GORRAS

[...]
Se os nobres d'esta terra empanturrados,
Em Guiné têm parentes enterrados;
E, cedendo à prosápia, ou duros vícios,
Esquecendo os negrinhos seus patrícios;
Se mulatos de cor esbranquiçada,
Já se julgam de origem refinada,
E curvos á mania que domina,
Desprezam a vovó que é preta-mina –
Não te espantes, ó Leitor, da novidade,
Pois que tudo no Brasil é raridade!
[...]

O branco nacional parece sofrer de uma angústia, de uma "patologia social", como denominou Alberto Guerreiro Ramos (1954), pois deseja ser identificado como branco pelo europeu e pelo norte-americano. Para ele, ser homem é ser branco. Não percebe que, ao identificar nas piadas e em outras expressões o negro como macaco, impõe a si a mesma aproximação simbólica, pois o macaco é um animal que involuntariamente se parece conosco ou deseja imitar-nos.

O pensamento hegemônico nacional historicamente esteve refém do europeu-ocidental, repercutindo a ideia da inferioridade social e da superioridade dos conquistadores e colonizadores, chegando mesmo a convencer-se disso. Nesse particular, Albert Memmi (1989, p. 8) afirma:

> convencido da superioridade do colonizador e por ele fascinado, o colonizado, além de submeter-se, faz do colonizador seu modelo, procura imitá-lo, coincidir, identificar-se com ele, deixar-se assimilar [...] Ocupado, invadido, dominado, sem condições para reagir, nem ideológicas nem materiais, não pode evitar que o colonizador o mistifique, impondo-lhe

> a imagem de si mesmo que corresponde aos interesses da colonização e a justifica. O colonizado se perde no outro, se aliena.

A preguiça e os demais atributos considerados negativos tornam-se parte da essência do colonizado. Essa é uma noção ideológica do etnocentrismo dominante. Em algumas piadas, a difusão dessas ideias expressa que o negro brasileiro é preguiçoso, gosta de samba, mulher e futebol, por isso é pobre. Já os outros povos são laboriosos, justificando o seu enriquecimento no país.

O branco nacional introjetou as teorias raciais, mimetizando tudo à sua volta. Elegeu-se o "recolonizador" do país em nome do ideal europeu-ocidental, negando com insistência sua vinculação à cultura africana. Por isso ridiculariza o negro em decorrência de este ainda trazer no corpo as marcas do estigma da escravidão – ou seja, sua cor.

O branco nacional conseguiu "fugir" da cor negra, enquanto o "negro jabuticaba" ou o "negro de alma branca" não foram capazes de transmudar-se em brancos, mas carregam consigo o sentimento de que são *pretos por contingência*. Não percebem, contudo, que também são explorados, expropriados e estigmatizados. Tanto um quanto o outro necessitam constatar que são macacos, pois querem simplesmente imitar o homem branco ou parecer com ele.

Nesse particular, comungo parcialmente com José Jorge de Carvalho (1988, p. 38) quando considera que o branco nacional discrimina o negro porque este

> simboliza, para o branco brasileiro, a sua impossibilidade de ser europeu. Quando o branco brasileiro discrimina o negro, está exibindo a sua incapacidade de integrar, de abraçar abertamente esse lado africano, tão forte, de sua vida psíquica. A questão central, nisso tudo, parece ser o papel que joga a fantasia do branco brasileiro de querer ver-se como um europeu. No momento em que o branco europeu deixar de ser o valor máximo, o negro também deixará de ser negado publicamente pelo branco brasileiro.

Desse modo, podem-se também compreender, como fizeram Frantz Fanon (1983), Jurandir Freire Costa (1986), Neusa Santos Souza (1990), Albert Memmi (1989) e Alberto G. Ramos (1954), a violência e a mutilação que alguns negros de ambos os sexos cometem contra si mesmos, como produzir e reproduzir piadas "de negro". Isso se deve em parte ao longo mecanismo de autonegação, de introjeção dos valores eurocêntricos e do desejo da brancura.

Para o negro que introjetou os valores hegemônicos, o branco e sua brancura são as únicas referências, eles são os herdeiros do progresso, do desenvolvimento material, da civilização – numa palavra, da humanidade.

A meu ver, o fato de os negros não contarem "piada de branco" deve-se à sua incapacidade de *agredir* impaciente e desmedidamente seu "opositor". Na realidade, eles não têm forças para agredir a brancura que o outro porta, mesmo que a distância. Não agridem nem ridicularizam o branco em nome da construção das democracias etnorracial e social, mas também porque projetam para si algum benefício dentro da utopia mestiça e liberal brasileira.

As piadas contadas pelos negros e pelos demais excluídos sociais podem também objetivar a denúncia, pois dão visibilidade às desigualdades e às distorções socioculturais e político-econômicas. A piada retira as máscaras do pensamento e da prática dominantes que não admitem a diferença, somente a universalização e a homogeneização de sua perspectiva. Dessa maneira, a mensagem da piada denuncia a farsa e zomba da democracia burguesa nacional.

A grande maioria do contingente negro, contudo, não se deu conta do valor dessas mensagens que provocam o riso e o deboche. As entidades do movimento negro também não encaram a piada como instrumento de luta, de resgate da liberdade e de construção legal e legítima da cidadania. Maurício Pestana, chargista e cartunista negro, em entrevista concedida a mim no dia 13 de maio de 1993, diz:

> O meu papel e o do movimento negro, neste instante, é o de desmascarar e desmontar o racismo em todos os seus níveis, mas não cabe a mim produzir ou reproduzir mensagens preconceituosas contra o branco, sob o risco de cair num "racismo às avessas". Muito embora eu constate que há necessidade de se produzir com mais eficácia uma resposta ao branco racista.

Depreende-se o cuidado para não cair na "vala comum" da discriminação e do preconceito ao "branco". Pestana percebe que seu papel, como chargista e cartunista, é o de denunciar de forma risível e ridicularizável as distorções sociais e etnorraciais que o negro sofre em nossa sociedade, mas não vê na "piada de branco" um instrumento contundente contra o *racismo à brasileira*; percebe algo de perigoso nela, posto que opera múltiplos sinais.

Porém, se não desejam difundir nem elaborar piadas protagonizadas pelo branco, os negros precisam, como diz Oracy Nogueira (*apud* Queiroz Jr., 1982, p. 80-1),

> falar na necessidade de um expurgo a ser feito nas programações teatrais, de rádio e televisão de qualquer insinuação que reforce o estereótipo ou preconceito que prejudicam a imagem do negro na sociedade brasileira. Tais programas são dotados de penetralidade, pois, tomados como ocasiões de hilaridade e ridículo, são ótimos condimentos para a ingestão de preconceito [...] Os programas cômicos atraem, de modo especial, crianças e jovens.

A fim de erradicar ou amenizar tais efeitos, Nogueira (*op. cit.*, p. 81) insiste que é preciso elaborar

> medidas de caráter educativo, como esclarecimento de crianças, jovens e da população em geral em relação ao problema [...] O próprio negro deveria ser educado e assessorado por intelectuais, negros ou não, a fim de que não contribua, inconscientemente, para o reforço do estereótipo corrente em relação a seu grupo. Florestan Fernandes também considera que "seria bom [...] que o branco se reeducasse a tal maneira que pudesse

> pôr em prática, realmente, as disposições igualitárias que ele propala ter diante do negro".

Considero que o negro, nesse processo educativo deve "recolonizar", "humanizar" o branco nacional sem violar a palavra, mas respeitando-a como expressão sagrada, posto que é divina. Portanto, não fomentando a mentira, as distorções ou os estigmas.

Esse papel sociocultural e, fundamentalmente, pedagógico dos negros e de sua relação com a palavra explica parcialmente essa ausência de "piadas de branco" no Brasil, pois eles ainda têm na palavra um veículo de respeito, essencial para a harmonia da vida.

Entretanto, compreendo também que não há espaço de abrandamento ou do "politicamente correto" na piada. Vale lembrar que ela é difundida com base no jeitinho cordial brasileiro e na brincadeira ofensiva e pejorativa, não sendo de maneira nenhuma inocente. Ela denuncia e anuncia; dissimula e consolida; rebaixa e potencializa as distorções.

Assim, ao contrário do que creem Arnold Rose, Oracy Nogueira e Florestan Fernandes, penso que o processo educativo é um mero paliativo social, pois as piadas não serão erradicadas ou amenizadas se não houver mudanças nas relações socioculturais, político-econômicas, materiais e simbólicas entre negros e brancos no Brasil.

A piada realça, deturpa e exagera os incômodos sociais, culturais, morais, econômicos, estéticos e religiosos. Ao difundi-los, levanta questões contrárias ao modelo ideal de indivíduo e de sociedade. É por esse motivo que em algumas piadas o protagonista é alterado segundo o momento conjuntural mas seu conteúdo permanece intacto, posto que a estrutura social não sofreu qualquer transformação profunda.

Como já foi dito, nas últimas décadas o negro foi substituído pelo pobre, pelos políticos, pelo Estado e, também, pela loira:

– Qual é a primeira coisa que uma loira faz quando acorda?
– Põe a roupa e volta para casa.

– Por que a loira balança a cabeça, jogando o cabelo para trás?
– Para ver se o cérebro pega no tranco.

Verifica-se que tais piadas não são elaborações dos negros, mas a expressão de homens e mulheres pertencentes a uma sociedade miscigenada e mestiça que faz da loira a maximização do ideal, dos exageros de beleza, mas também da burrice, do superficial e do supérfluo. Nesse contexto, a sociedade brasileira discrimina aqueles que estão nos polos opostos do gradiente cromático, isto é, os negros retintos e as loiras platinadas. Assim, verifica-se que há piadas de negros e negras, bem como de loiras e loirinhos, mas não de morenos e brancos; não há chistes para aqueles do sexo masculino que se apresentam com certa cor morena, vinculada com o padrão de uma sociedade tropical que assume ser mestiça somente quando interessa.

Breves considerações finais

Diante das complexas relações existentes entre brancos e negros na sociedade brasileira, fica cada vez mais nítido que o empenho dos negros e dos demais excluídos e estigmatizados deve-se pautar na construção de uma democracia real e duradoura, baseada na conscientização daqueles que sofreram a ação do branqueamento; na crítica pertinente à democracia burguesa e no desmascaramento da doutrina dominante; na ampliação da disputa hegemônica; no conhecimento de si e dos outros – instrumentos para a conquista da cidadania e do resgate da identidade de homens e mulheres livres.

A piada revela um mal-estar quando anuncia e denuncia com o seu humor a frágil coexistência multirracial e pluriétnica brasileira. Ela amplia a diferença e faz desaparecer a subjetividade e a individualidade de cada agente social – seja deles ou nossas; dos mais claros ou dos mais escuros; daqueles que não sabem se riem ou se choram quando ouvem: "Você conhece aquela?"

A piada é uma denúncia sutil de que o país não conseguiu integrar no cotidiano a população de negros, negando-os sistematicamente como portadores de direitos.

Em suma, a piada traz à tona o vigoroso debate entre evolucionismo e culturalismo presente desde as primeiras décadas do século XX entre nós. Nem mesmo a legislação antirracista e a luta do movimento negro contemporâneo conseguem superar as distorções sociais, base e combustível da piada e do seu efeito – o riso debochado que projeta e promove de maneira sutil e irreverente o mal-estar e a violência, mesmo sendo ela simbólica.

Em síntese, as piadas revelam o grau de eficiência e sofisticação do racismo à brasileira, pois as próprias vítimas dos chistes não veem neles um eficaz procedimento de preconceito escamoteado.

Referências bibliográficas

ALMEIDA PRADO, J. F. de. *D. João VI e o início da classe dirigente do Brasil (depoimento de um pintor austríaco no Rio de Janeiro) – História da formação brasileira.* São Paulo: Nacional, s/d (Coleção Brasiliana, v. 345).

ARISTÓTELES. *Poética.* São Paulo: Abril Cultural, 1979 (Coleção Os pensadores).

BAKHTIN, Mikhail. *A cultura popular na Idade Média e no Renascimento – O contexto de François Rabelais.* Trad. Yara F. Vieira. São Paulo: UnB/Hucitec, 1987.

BARBOSA, Lívia. *O jeitinho brasileiro – A arte de ser mais igual que os outros.* Rio de Janeiro: Campus, 1992.

BARCELLOS, Caco. *Rota 66: a história da polícia que mata.* Rio de Janeiro: Record, 2003.

BARROS, J. F. P. de; TEIXEIRA, M. L. L. "O código do corpo: inscrições e nomes dos orixás". In: MOURA, C. E. M. de. (org.). *Candomblé: religião do corpo e da alma – Tipos psicológicos nas religiões afro-brasileiras.* Rio de Janeiro: Pallas, 1989, p. 103-38.

BASTIDE, Roger. *Religiões africanas no Brasil: contribuição a uma sociologia das interpretações de civilizações.* 2. ed. Trad. Maria Eloísa Capellato e Olívia Krähenbühl. São Paulo: Pioneira, 1985.

BERGSON, Henri. *O riso.* 2. ed. Trad. Nathanael C. Caixeiro. Rio de Janeiro: Zahar, 1983.

BOBBIO, Norberto *et al. Dicionário de política.* 4. ed. Trad. Carmen C. Varrialle *et al.* Brasília: Editora da UnB, 1992.

Brookshaw, David. *Raça e cor na literatura brasileira*. Porto Alegre: Mercado Aberto, 1983.

Campos, Roberto de O. "A sociologia do jeito". In: ______. *A técnica e o riso*. Rio de Janeiro: Apec, 1966.

Carvalho, José Jorge. de. "Mestiçagem e segregação". Brasília, *Humanidades*, v. 5, n. 17, 1988, p. 35-39.

Chaui, Marilena. *Conformismo e resistência: aspectos da cultura popular no Brasil*. 3. ed. São Paulo: Brasiliense, 1989.

______. *Cultura e democracia: o discurso competente e outras falas*. 5. ed. São Paulo: Brasiliense, 1990.

Clastres, Pierre. *A sociedade contra o Estado*. Trad. Theo Santiago. 4. ed. Rio de Janeiro: Francisco Alves, 1988.

Costa, Jurandir Freire da. *Violência e psicanálise*. Rio de Janeiro: Graal, 1986.

Degler, Carl N. *Nem preto nem branco*. Trad. F. Wrobel. Rio de Janeiro: Labor do Brasil, 1976.

Eco, Umberto. *O nome da rosa*. Trad. Aurora Fornoni Bernardini e Homero Freitas de Andrade. Rio de Janeiro: Nova Fronteira, 1983.

Fanon, Frantz. *Pele negra, máscaras brancas*. Trad. Maria A. da S. Caldas. Rio de Janeiro: Fator, 1983 (Coleção Outra Gente, v. 1).

Fernandes, Florestan. *A integração do negro na sociedade de classes*. v. 1. 3. ed. São Paulo: Ática, 1978.

Fonseca, Claudia. "Honra, humor e relações de gênero: um estudo de caso". In: Costa, A.; Bruschinni, C. (orgs.). *Uma questão de gênero*. São Paulo: Rosa dos Tempos/Fundação Carlos Chagas, 1992.

Fonseca, Dagoberto José. *Corpos negros (i)maculados: mulher, catolicismo e testemunho*. Tese (Doutorado em Ciências Sociais), Pontifícia Universidade Católica de São Paulo, São Paulo (SP), 2000.

Foucault, Michel. *Vigiar e punir – História da violência nas prisões*. 9. ed. Petrópolis: Vozes, 1991.

Fragoso, Hugo. "Uma dívida para com os negros do Brasil". Petrópolis, *Revista de Cultura Vozes*, ano 82, n. 1, jan.-jul. 1998.

Freyre, Gilberto. *Casa-grande e senzala*. 25. ed. Rio de Janeiro: José Olympio, 1987.

Gil, Célia M. C. *A linguagem da surpresa: uma proposta para o estudo da piada*. Tese (Doutorado em Letras Clássicas), Universidade de São Paulo, Assis (SP), 1991.

Gonçalves, Luiz A. O. "Reflexão sobre a particularidade cultural na educação das crianças negras". In: Rosenberg, F.; Pinto, R. P. (orgs.). *Cadernos de Pesquisa – Revista de Estudos em Educação*, n. 63, São Paulo, nov. 1987.

Guerreiro Ramos, Alberto. "O problema do negro na sociologia brasileira". *Cadernos do Nosso Tempo*, v. 2, jan.-jun. 1954.

Hampate Bâ, A. "A tradição viva". In: Ki-Zerbo, Joseph (coord.). *Metodologia e pré-história da África, História Geral da África*. v. 1. São Paulo: Ática/Unesco, 1982.

Heller, Agnes. *O cotidiano e a história*. 3. ed. Rio de Janeiro: Paz e Terra, 1989 (Série Interpretações da História do Homem, v. 2).

Holanda, Sérgio B. de. *Raízes do Brasil*. 20. ed. Rio de Janeiro: José Olympio, 1988 (Coleção Documentos Brasileiros, v. 1).

Ianni, Octávio. *Revolução e cultura*. Rio de Janeiro: Civilização Brasileira, 1983.

______. *As metamorfoses do escravo*. São Paulo: Hucitec/Scientia et Labor. 2. ed., 1988.

Instituto Brasileiro de Geografia e Estatística. *Revista Estudos & Pesquisas. Informação Demográfica e Socioeconômica*, Brasília, n. 27, Síntese de indicadores sociais – Uma análise das condições de vida, 2010.

José, Ganymédes. *Na terra dos orixás*. São Paulo: Editora do Brasil, 1988.

Kali, Alain Pascal. "O ser preto africano no "paraíso terrestre" brasileiro – Um sociólogo senegalês no Brasil". *Lusotopie 2001*, p. 105-21. Disponível em: <http://www.lusotopie.sciencespobordeaux.fr/kaly.pdf>. Acesso em: 20 ago. 2010.

Ki-Zerbo, Joseph. (coord.). *Metodologia e pré-história da África, História Geral da África.* v. 1. São Paulo: Ática/Unesco, 1982.

Lauriti, N. C. *O discurso humorístico: os mecanismos linguísticos do Modus Ridens.* Dissertação (Mestrado em Língua Portuguesa), Pontifícia Universidade Católica de São Paulo, São Paulo (SP), 1990.

Leite, Ilka. B. *Os sentidos da cor e as impurezas do nome: os termos atribuídos à população de origem africana.* Florianópolis: UFSC, 1988.

Lombardi, Carlos. *Oxalá.* Rio de Janeiro: Editora Três, 1985 (Coleção Os Orixás).

______. *Exu.* 3. ed. Rio de Janeiro: Editora Três, 1986 (Coleção Os Orixás).

Mattoso, Kátia de Q. *Ser escravo no Brasil.* 2. ed. São Paulo: Brasiliense, 1988.

Medina, João Paulo S. *O brasileiro e seu corpo.* 2. ed. Campinas: Papirus, 1990.

Memmi, Albert. *Retrato do colonizado precedido do retrato do colonizador.* 3. ed. Trad. Roland Corbisier e Mariza P. Coelho. Rio de Janeiro: Paz e Terra, 1989.

Moura, Clóvis. *Sociologia do negro brasileiro.* São Paulo: Ática, 1988 (Série Fundamentos, n. 34).

Novaes, Regina. "Igreja metodista: compromisso social e relações raciais". In: Novaes, Regina R.; Floriano, Maria da Graça, *O negro evangélico.* Rio de Janeiro: Iser, ano 4, ed. especial, 1985.

Nuzzi, Vitor. "Diferenças no mercado de trabalho seguem desfavoráveis a negros". Site Rede Brasil Atual, 17 nov. 2011. Disponível em: <http://www.redebrasilatual.com.br/temas/trabalho/2011/11/diferencas-no-mercado-de-trabalho-seguem-desfavoraveis-a-negros-confirma-estudo>. Acesso em: 20 nov. 2011.

Oliveira, J. M. de. "A identidade do educador negro". São Paulo: Encontro de Professores Negros da Apeoesp Regional Itaquera-Guaianazes, set. 1992.

Oliveira Vianna, F. J. *Populações meridionais do Brasil*. Niterói: Eduff, 1987.

Pinsky, Jaime. *Brasileiro(a) é assim mesmo: cidadania e preconceito*. São Paulo: Contexto, 1993.

Poliakov, Léon. *O mito ariano - Ensaio sobre as fontes do racismo e dos nacionalismos*. São Paulo: Perspectiva/Edusp, 1974.

Propp, Vladimir. *Comicidade e riso*. São Paulo: Ática, 1992 (Série Fundamentos, v. 84).

Queiroz Jr., T. *Preconceito de cor e a mulata na literatura brasileira*. São Paulo: Ática, 1982.

Querino, M. *Costumes africanos no Brasil*. 2. ed. Recife: Massangana/ Fundação Joaquim Nabuco, 1988.

Raeders, Georges. *O inimigo cordial do Brasil: o Conde de Gobineau no Brasil*. Trad. Rosa F. d'Aguiar. Rio de Janeiro: Paz e Terra, 1988.

Rodrigues, José. C. *Tabu do corpo*. 3. ed. Rio de Janeiro: Achiamé, 1983.

Rose, Arnold M. "A origem dos preconceitos". In: Comas, Juan *et al*. *Raça e ciência*. v. 2. Trad. Fernando dos S. Fonseca. São Paulo: Perspectiva, 1972 (Coleção Debates n. 56).

Santos, Joel Rufino dos. *História política do futebol brasileiro*. São Paulo: Brasiliense, 1981.

Silva, Antonio Aparecido da. "Igreja e negritude". In: *O São Paulo. Semanário da Arquidiocese de São Paulo*, São Paulo, 7 a 13 nov. 1986.

Skidmore, T. E. *Preto no branco: raça e nacionalidade no pensamento brasileiro*. Trad. Raul de S. Barbosa. Rio de Janeiro: Paz e Terra, 1976 (Coleção Estudos Brasileiros, v. 9).

Starobinski, J. *Jean-Jacques Rousseau: a transparência e o obstáculo*. Trad. M. L. Machado. São Paulo: Companhia das Letras, 1991.

Teixeira, Maria Aparecida S. B. *Resgatando a minha bisavó: discriminação racial no trabalho e resistência na voz dos trabalhadores negros*. Dissertação (Mestrado em Psicologia Social), Pontifícia Universidade Católica de São Paulo, São Paulo (SP), 1992.

VAINFAS, R. *Ideologia e escravidão*. Petrópolis: Vozes, 1986.

VANSINA, J. "A tradição oral e sua metodologia". In: KI-ZERBO, J. (coord.). *Metodologia e pré-história da África, História Geral da África*. v. 1. São Paulo: Ática/Unesco, 1982.

VERGER, Pierre. *Orixás*. Salvador: Corrupio, 2002.

VOGEL, A. *et al. A galinha-d'angola: iniciação e identidade na cultura afro-brasileira*. Rio de Janeiro: Pallas/Flacso/Eduff, 1993 (Série Raízes, v. 3).

www.gruposummus.com.br

IMPRESSO NA
GRÁFICA
sumago
sumago gráfica editorial ltda
rua itauna, 789 vila maria
02111-031 são paulo sp
tel e fax 11 2955 5636
sumago@sumago.com.br

Agradecimentos

Mesmo sabendo não ser possível mencionar a todos, venho com simplicidade e sinceridade agradecer àqueles que colaboraram comigo de uma forma ou de outra para a concretização deste livro. De maneira especial agradeço a Deus, aos meus pais (José e Tereza) e a toda minha família. À fantástica Aisha Beatriz da S. Fonseca e ao fabuloso Hamadi José da S. Fonseca; ambos vieram ao mundo no tempo certo e demonstraram paciência, bom humor e amor sempre incondicional por mim. Minha enorme gratidão a Simone de Loiola Ferreira Fonseca, pelo amor e pelo desafio de querer andar comigo nesta longa estrada que é a vida.

A Bader B. Sawaia e Josildeth Gomes Consorte, professoras e amigas da PUC/SP, pelo incentivo e pela confiança que tiveram comigo no processo árduo mas compensador da pesquisa.

Sinto não poder abraçar Eduardo Cardoso, que partiu sem antes ler estas páginas...

Àqueles que porventura esqueci ou não citei aqui, mil desculpas. A todos e a todas um enorme muito obrigado, que o Deus de todas as cores, de todos os sexos, de todas as culturas, de todos os credos e de todos os nomes lhes pague – de maneira alegre e sorridente.